L'intimité et le couple

Du même auteur
aux Éditions J'ai lu

Le traité des caresses, *J'ai lu* 7004
La Mâle Peur, *J'ai lu* 7026
Le traité du plaisir, *J'ai lu* 7093
Amour et calories, *J'ai lu* 7139
Le traité du désir, *J'ai lu* 7167
La fidélité et le couple, *J'ai lu* 7226

DR GÉRARD LELEU

L'intimité et le couple

Bien-être

« L'intimité est le lieu de travail de l'amour, celui où il grandit, où il lève, comme on le dit de la pâte dont on fait le pain. Elle est l'écologie du couple, cet environnement qui, selon l'attention qu'on lui porte, la conscience qu'on a de son importance, de la subtilité et de la fragilité de ses équilibres, détermine son épanouissement ou, au contraire, son dépérissement. Car, sans intimité, le couple s'éteint ou se transforme en un partenariat entre un homme et une femme assurant la gestion du quotidien. »

Perla SERVAN-SCHREIBER

Sommaire

Introduction

Y a-t-il plus grand bonheur que de pouvoir parler du fond de son cœur et d'être entendu puis à son tour d'écouter ce que l'autre nous confie ? Surtout quand cela se vit dans la chaleur des corps enlacés, toutes odeurs mêlées, tous souffles entremêlés, toutes vibrations tissées, toutes auras confondues.

Cette scène, douce et forte à la fois, où se rejoignent pour le meilleur ceux-là qui, infiniment, se cherchent, la femme et l'homme, figure l'intimité en sa plénitude.

Signe des temps, les êtres, de nos jours, aspirent plus que jamais à l'intimité, à cet échange où le cœur – voire l'âme – importe plus que la pulsion, où la sensualité l'emporte sur la sexualité. C'est que nous sommes saturés de « sexe » jusqu'à l'indigestion ; de ce sexe omniprésent, violent, violant, qui s'étale sur les écrans, les pages, les panneaux. Ce sexe banalisé à en pleurer, mécanisé à en hurler. Vidé de sens, ce sexe-là, une fois passées les secousses de l'orgasme, ouvre sur le vide et la désillusion.

Ce n'est pas que l'intimité exclue la sexualité, au contraire, elle peut en être le tremplin ou l'heureux prolongement, comme nous le verrons. Mais dans ce cas la sexualité est au service de l'intimité : elle n'en constitue qu'une étape, facultative du reste et destinée à relier plus encore les êtres en les unissant, en leurs plus vivantes profondeurs, dans un plaisir aux rives du sacré.

À la saturation s'ajoute la peur : le spectre des maladies sexuellement transmissibles plane désormais sur le consumérisme sexuel et les amours papillonnaires. Aussi on évite de se disperser et on décide de se concentrer sur le – la – partenaire habituel(le) ; a priori il – elle – présente moins de risques. Alors on s'aperçoit que cette démarche de sagesse, voire de résignation, peut se révéler une aventure fabuleuse. Car on découvre que la relation n'est pas aussi usée qu'on le croyait et que le partenaire qu'on pensait connaître par cœur a encore beaucoup à nous révéler. Influencé par l'ambiance du « consommez et jetez après usage », on s'était contenté de surfer sur les contours de la relation. Désormais, on va l'explorer plus avant, la creuser, l'élargir. Bref, la relation en vérité ne fait que commencer.

Quant au partenaire, c'est à peine si on avait visité sa surface, faute de l'avoir écouté vraiment, de s'y être intéressé réellement, nous satisfaisant d'en accueillir des bribes et de lui jeter nos projections. Mais que savons-nous de ses multiples strates, que savons-nous de son épicentre ? Et que lui avons-nous livré de nos multiples richesses et de notre noyau ? L'intimité cultivée permettra d'approfondir la connaissance de l'autre.

Autre facteur qui invite à l'intimité : la dureté du système économique. La loi du marché oblige les managers à se faire tigres et la pression de la productivité transforme les ouvriers en automates. La société est cruelle et les gens stressés. C'est pourquoi la famille, le couple et la maison qui les abrite apparaissent comme un havre où l'on peut se relâcher et se ressourcer. Là-dessus est arrivée la crise économique et ses malheureuses conséquences : perte d'emplois, appauvrissement, insécurité ; elles aussi incitent – quand elles n'y forcent pas – à rentrer au port. Enfin la violence qui sévit dans l'espace public – rues, écoles, lieux de travail, stades, etc. – pousse les gens à se réfugier dans leur carré privé. Dans tous les cas, le retour au « foyer » rapproche les êtres et devrait les porter à développer l'intimité, ce jardin de douceur, de compréhension et d'entraide.

La raréfaction des relations interpersonnelles, vraies, tangibles, chaleureuses est également un élément qui fait rechercher l'intimité ; car humains, nous sommes fondamentalement des êtres de communication. Or ce que nous offre « l'ère de la communication » – téléphone, télévision, Minitel, Internet, etc. – ne peut nous satisfaire. Premièrement, comme le nom l'indique (« télé » signifie « loin »), ceux avec qui nous communiquons par leur intermédiaire sont éloignés et le plus souvent inconnus, étrangers à notre vie – ils sont immatériels, virtuels. Deuxièmement, ce que l'on nous communique, jusqu'à nous saturer, ce sont des informations, voire des désinformations, qui ne nous concernent pas forcément, et des annonces publicitaires. La communication telle que nous l'attendons est celle qui nous met en relation intime avec une autre personne. Celle-là, la technologie ne peut guère nous l'offrir.

Mais, me direz-vous, cette ère nous a aussi apporté les « techniques de la communication ». Hélas, tant que ces technologies auront pour but d'apprendre à un homme politique à capter l'électeur, à un vendeur à tromper le client et à un chef des « ressources humaines » à licencier « sans douleur » un employé, elles ne seront que des formes de manipulation. Ce n'est que lorsqu'elles apprendront aux parents à parler aux enfants et à les écouter, aux amants à s'entendre dans tous les sens du mot, etc., qu'elles feront progresser la compréhension entre les êtres et le niveau de conscience de chacun.

On voit bien que les progrès techniques ne servent pas la communication intime ; à l'inverse, on peut constater que le modernisme la dessert en isolant les êtres de toutes sortes de façons : isolés ils sont dans les boîtes d'acier de leurs véhicules, isolés dans les cellules en béton de leurs immeubles aux portes inaccessibles parce que codées, isolés aussi, paradoxalement, dans les foules anonymes des transports en commun où ils se pressent dans tous les sens du terme ici aussi et s'enferment sur eux-mêmes. Isolés également dans la promiscuité des discothèques où le mur de l'excès de son les sépare. Cette difficulté à se rencontrer, à se parler vraiment, explique qu'il y ait des millions de femmes seules, d'hommes seuls dont certains ne verront d'autre issue à leur solitude que les agences de rencontres, qui du reste prolifèrent. Quant à ceux qui ont la chance de vivre en couple ou en famille, ils l'apprécient de plus en plus et sont prêts à en développer l'intimité.

C'est de l'intimité entre la femme et l'homme que nous parlerons. Mais pourquoi en parler ? Puisque nous la souhaitons, allons-y tout bonnement ! En vérité, les choses ne sont pas aussi simples : on peut aimer beaucoup et ne pas savoir le dire, ni le vivre. Partager ses émotions, révéler ses sensations, confier ses pensées, s'abandonner, ce n'est pas toujours facile. L'intimité, tout le monde en rêve – même ceux qui la dénient – mais trop peu osent s'y baigner ou, s'y baignant, ne savent en retirer tout le bonheur possible. Puisse ce traité vous aider à y parvenir.

Définition de l'intimité

Comme l'indique son étymologie – le latin *intimus* est le superlatif de *interior* – l'intimité désigne ce qui est au plus profond de l'intérieur de l'être, le fond de son cœur, voire le tréfonds de son âme, autrement dit son secret et son essence.

Notre « vie intime » est la part profonde de notre vie, celle qui est tenue cachée aux autres ; on l'appelle aussi « personnelle » ou « privée », par opposition à la vie publique. Elle concerne nos sentiments, nos pensées et notre sexualité. « Être intime » avec quelqu'un signifie être relié à ce qu'il a de plus profond et de plus secret ; ce qui suppose une confiance absolue et un lien fort. Les « parties intimes » sont les parties de notre corps qui ne regardent que nous-mêmes et ne doivent pas être montrées à des tiers.

On pourrait alors définir l'intimité amoureuse comme la relation privilégiée qu'établissent entre eux deux êtres, relation dont la caractéristique est d'être très étroite et très profonde tant sur le plan corporel que sur le plan de la conscience et dont le résultat est de nouer un lien serré entre les partenaires.

L'intimité amoureuse a donc deux volets : un volet physique comprenant lui-même l'intimité sensuelle et l'intimité sexuelle, et un volet psychique fait lui-même de l'intimité affective, de l'intimité intellectuelle et de l'intimité spirituelle.

Chapitre I

L'INTIMITÉ PHYSIQUE : LES BONHEURS DE LA BULLE

La communication entre les êtres se réalise par l'intermédiaire de signaux émis par diverses parties du corps et captés par les organes des sens. L'oreille perçoit la voix et le souffle de la respiration, la vue capte les gestes, les attitudes, les mimiques, le regard, les mouvements respiratoires et les modifications de l'épiderme (sa couleur, sa température, son horripilation), l'odorat détecte les odeurs et la peau, enfin, apprécie les contacts. L'efficacité de chacun des cinq sens diffère selon la distance qui sépare les êtres.

Entrer en intimité physique avec son aimé(e), c'est diminuer la distance qui nous sépare d'elle, de lui, c'est s'en rapprocher jusqu'à la, le toucher.

D'une façon générale, on constate que les distances qui s'établissent entre les communicants dépendent de leur degré d'intimité. Selon Edward Hall[1], il faut distinguer :

---

1. Les notes renvoient à la bibliographie située en fin d'ouvrage.

1. La distance publique qui s'arrête à 360 cm du sujet récepteur. C'est la distance qui sépare le conférencier ou le professeur de son auditoire. Ici c'est la voix – sur un registre fort – et son détecteur, l'oreille, qui ont un rôle prédominant. Toutefois, la vue, qui observe les gestes et les attitudes, joue également un rôle.

2. La distance sociale qui va de 360 à 120 cm : c'est celle des relations professionnelles. Ici la voix, sur un registre plus tempéré, reste prédominante ; la vue qui, maintenant, peut saisir les mimiques, prend de l'importance ; l'odorat, lui, commence à entrer en jeu.

3. La distance personnelle qui va de 120 à 40 cm. C'est la distance où les mains peuvent se toucher. C'est donc celle des relations privilégiées, de l'amitié à l'amour. Ici, la voix, sur un ton encore plus bas, conserve son rôle. Mais c'est la vue qui importe le plus, car elle peut lire les moindres mouvements du visage et tout ce que contient le regard. Le toucher, à son tour, entre dans la danse.

4. La distance intime de 40 à 0 cm. C'est la distance de lecture, c'est surtout l'espace de l'amour – amour maternel et amour d'amoureux. La voix, chuchotée, conserve un beau rôle. La vue perd de son importance. Maintenant ce sont le toucher et l'odorat qui l'emportent.

On peut considérer que chaque personne est entourée d'une « bulle » dont la périphérie est à 40 cm de la peau et la face profonde constituée par la peau elle-même. C'est la partie la plus intime de notre territoire, un espace privé et interdit. Ne sont autorisés à y entrer que les aimants – enfants, parents, amis, amants – ou les soignants – médecins, infirmières, coiffeurs, esthéticiennes. Toutefois on y tolère la foule des transports et des ascenseurs. Hélas, on y subit les violents et les violeurs.

Y a-t-il plus grand ravissement que d'entrer dans la bulle de l'aimé(e) ? À peine est-elle franchie qu'un frémissement de joie nous saisit, joie d'être accepté, choisi même, en ce lieu interdit. Puis le bonheur s'installe, s'élargit, s'élève, se multiplie pour confiner à l'ivresse, à la béatitude. Car ce lieu en vérité est un jardin plein de sortilèges : impression de déjà vu, déjà senti : souvenirs de temps immémoriaux où ce jardin s'appelait paradis ? Rémanence des vertes années ? Magie de la mémoire...

MERVEILLEUSE VISION

Est-ce la vision rapprochée de notre aimée qui réactualiserait ces scènes paradisiaques ? N'est-ce pas plutôt la beauté si proche de ses yeux, de ses lèvres, de ses seins qui nous transporte ? Transport qui n'est pas seulement esthétique : sur ces parties de son corps clignotent, irrésistibles, des signaux sexuels.

• Au centre des yeux il y a le trou noir des pupilles ; on savait qu'elles étaient des diaphragmes qui s'ouvraient et se fermaient selon l'intensité de la lumière ; on sait maintenant qu'elles varient aussi en fonction du désir : quand le désir monte, les pupilles se dilatent et cette mydriase à son tour éveille, inconsciemment, le désir du vis-à-vis ; ainsi de mydriases en mydriases, par un jeu de miroirs, le désir se multiplie.

C'est, entre autres expériences, par un jeu de photos que le rôle de la mydriase fut démontré. On présenta à un certain nombre de femmes et d'hommes des séries de clichés dont quelques-uns avaient été retouchés : on y avait agrandi les pupilles. Or c'est parmi ceux-ci que les sujets d'expérimentation ont élu le type de femme ou d'homme qu'ils préféraient. Dans une autre expérience, on a constaté que la projection de photos de nus déterminait une mydriase chez les spectateurs.

• Les lèvres constituent également un message sexuel. Leur forme, leur charnu, leur couleur n'évoquent-ils pas les grandes nymphes que l'on nomme aussi les grandes lèvres ? Selon Desmond Morris[2], ce n'est pas un hasard : quand les humains ont acquis la station verticale, ils ont dû transférer l'acte sexuel du versant postérieur au versant antérieur et, pour que ce versant soit plus attrayant, la nature y a inscrit une réplique des grandes nymphes, les lèvres. Du reste nos ancêtres les singes qui, sauf les Bonono, continuent de pratiquer le coït postérieur, ont des lèvres buccales insignifiantes – simples rebords sans épaisseur et sans couleur ; par contre leurs nymphes génitales sont superbement ourlées et rubicondes.

• Les seins, enfin, réalisent un appel sexuel particulièrement sophistiqué et efficace surtout quand ils sont vus de près. Les globes en eux-mêmes sont des signaux, toujours si l'on en croit Desmond Morris ;

ils seraient, eux, la réplique antérieure des fesses, délaissées quand l'homme s'est mis à faire l'amour par-devant. Par ailleurs l'assemblage de trois cercles concentriques – le globe, l'aréole, le mamelon – de diamètres dégressifs, de colorations progressives et de reliefs successifs, figure une cible parfaitement attirante. Du reste, chez tous les autres mammifères, les mamelles, en dehors des périodes de lactation, ne sont que de pauvres et flasques tétines.

Nous voyons à quel point l'abord sexuel par la face antérieure a permis d'approfondir et de personnaliser l'intimité, mieux : de contribuer à la naissance de l'amour humain.

« Pour que l'amour puisse éclore, il ne suffit pas d'accroître l'attirance du mâle pour la femelle, et réciproquement. Ni de couronner leur rencontre par un plaisir aigu. Il faut aussi que l'attrait soit électif : que tel individu ait envie de connaître le plaisir de préférence avec un partenaire précis. Aimer, c'est choisir. Les signaux des guenons, lancés tous azimuts, s'adressaient à tous les mâles : “Je suis en chaleur”, criaient-elles à l'encan. Les signaux des humanoïdes sont plus personnalisés. Chaque individu émet des signes qui lui sont propres, chaque sujet n'est réceptif qu'à un certain type d'émission : “Toi seule m'excites, je n'aime que toi”, disent les amants. Pour cela, chaque être se différenciera des autres par une foule de nuances. À chacun son charme ?

« Un fait allait contribuer, de façon décisive, à personnaliser l'échange amoureux, c'est le passage, en ce qui concerne le coït, de l'abord postérieur à l'abord antérieur. Rien ne ressemble plus à une paire de fesses qu'une autre paire de fesses. Par contre, un visage offre des possibilités infinies de particularités : la forme, les traits, l'expression du regard, la couleur des yeux, les singularités cutanées, etc. Un visage permet aussi la communication par le regard, les mimiques, les sons et les mots émis plus près de l'oreille. Quand on fait l'amour face à face, on sait avec qui on le fait. Et tandis que le plaisir monte, des liens particuliers se tissent entre les êtres. Il en subsiste une sorte de reconnaissance qui les attache l'un à l'autre, et les gestes nouveaux, symétriques et réciproques, permis par l'abord antérieur, constituent non seulement des possibilités nouvelles de jouissance, mais aussi des moyens admirables d'échanges[9]. »

Dans la bulle, la voix prend un ton plus doux, plus confidentiel. Nul doute qu'elle contribue à instaurer l'étrange bien-être qui gagne les partenaires. Car cette voix est troublante, n'est-ce pas ? Et les murmures et les chuchotements qui alternent ajoutent à ce trouble.

Toutefois la vue et la voix ne sauraient suffire à nous mettre dans ce bel état de bonheur. Il y a plus : ce qui nous procure une si douce ivresse dès l'entrée dans la bulle, c'est son atmosphère qui évoque une serre au printemps ou un sous-bois tropical. Une chaleur un peu moite nous enveloppe et nous imprègne, en même temps qu'un entrelacs d'odeurs nous « envolute » et nous pénètre. Chaleur et odeurs s'allient : c'est la chaleur qui infuse et exalte les arômes que la peau exhale.

On ne dira jamais assez la magie des fragrances. La peau est une mosaïque d'odeurs multiples. De toute la surface cutanée montent des molécules odoriférantes, les phéromones, parmi lesquelles le musc est la plus connue ; elles proviennent du cuir chevelu et des cheveux, de l'aréole des seins, du dos des mains ; elles proviennent surtout de certains sites spécialisés, véritables encensoirs : les aisselles, le pubis, le périnée. Elles sont sécrétées par les glandes sudoripares, les glandes sébacées et les glandes apocrines. Ce sont des messagères de la sexualité, destinées à éveiller le désir de l'autre ; quand elles atteignent les narines du partenaire, elles y engendrent des influx nerveux qui vont droit à l'hypothalamus, cette zone du cerveau archaïque où siège la pulsion sexuelle. Le désir levé peut être impérieux et précipiter dans l'acte d'amour ; il peut aussi se maintenir en suspens, comme une promesse délicieuse ; vous qui êtes alchimistes, vous savez le transmuter en un bonheur prolongé.

Les rôles aphrodisiaques et relationnels joués par les odeurs sont plus fondamentaux chez les animaux que chez les humains, mais ils n'en sont pas moins efficaces chez ces derniers. En tout cas, l'impact affectif y reste très important. En effet toute odeur fait naître en nous une émotion, profonde le plus souvent. C'est que le rhinencéphale – qui est le centre cérébral de l'olfaction où aboutissent les influx nerveux issus des narines stimulées – est lui inséré dans le système limbique, qui est le centre d'intégration des émotions. Il en résulte qu'aucune odeur n'est neutre : elles sont, de façon manichéenne, agréables ou désagréables. Les odeurs liées à la proximité de la mère ou de l'amante ont été, sauf exception, agréables. Aussi ces fragrances et le bonheur qui y est associé, ont été mémorisés par l'amygdale limbique, une zone du système limbique qui enregistre les souvenirs. C'est pourquoi, dès que l'on entre dans les arômes de la bulle, notre mémoire olfactive nous restitue un sentiment de bonheur[3]. Oui, si telle odeur vous remue sans que vous puissiez vous l'expliquer, c'est que si vous avez perdu le souvenir de l'événement, votre amygdale limbique, elle, en a conservé la trace et l'association qui, dans la petite enfance, s'est établie des milliers de fois entre les perceptions olfactives et les émotions heureuses ou malheureuses du moment.

Ce conditionnement est gravé à vie dans notre cerveau. Prenons les moments heureux : nous savons quel bonheur le contact du corps maternel procure à l'enfant – c'est la fin de la solitude, de l'angoisse, de la faim et de bien d'autres impressions désagréables ; mieux, c'est un apport de câlins, de chaleur, de nourriture et d'autres sensations agréables. Or, tandis que bébé flotte dans ce bien-être, il baigne aussi dans une mosaïque d'odeurs ; celles de la peau de sa mère, de ses seins, de son creux axillaire, de sa bouche, de ses cheveux et de son sexe aussi. Et cela durera longtemps, car le petit vivra jusqu'à l'âge de sept ans dans l'intimité de sa mère, c'est-à-dire dans ses bras ou accroché à ses jambes, les narines à hauteur du pubis. Comment voulez-vous qu'il oublie tout cela ? Alors ne vous étonnez pas si à vingt ans ou à quatre-vingts ans l'odeur du corps de l'autre, les odeurs de son sexe, entre autres, vous bouleversent tant et vous insufflent des bouffées de bonheur. Comme si les portes du paradis, soudain, s'entrouvraient, paradis perdu de l'enfance, dans l'amour retrouvé, sans limites cette fois et qu'on espère sans fin, à la mesure de nos fantasmes, à l'échelle de nos aspirations.

Nous croyons toutefois que notre odorat, spécialement dans les relations humaines, est un sens dépassé et de toute façon tellement moindre que celui des animaux. Il est vrai que déjà le flair de nos ancêtres les singes, après qu'ils eurent quitté le sol pour élire domicile dans les arbres, avait périclité, tandis que leur vision prenait de l'importance ; et déjà, dans leur cerveau, les structures olfactives s'étaient réduites, alors que les visuelles se développaient. Plus tard, quand dans la Rift Valley ravagée par la sécheresse, les forêts se raréfièrent avant de disparaître pour faire place à la savane, les primates durent se dresser sur leurs pattes arrière pour voir au loin, par-dessus les herbes. Loin du sol, loin des odeurs ; décidément, de plus en plus, il valait mieux en croire ses yeux que son nez ; d'autant que de nocturnes nos lointains ancêtres étaient devenus diurnes. Érigés, la vision renforcée, l'odorat diminué, leurs membres antérieurs libérés, les singes s'étaient faits australopithèques, les premiers des hominiens.

À cette baisse de l'acuité de notre olfaction s'est ajouté le mépris que nous en avons. Pour l'homme accompli, quelle fierté de dominer tous ces mammifères qui vivent au ras du sol, penchés sur celui-ci, asservis à lui, qu'ils reniflent et fouinent à longueur de temps. Quel bonheur de s'être détaché de toutes les viles odeurs qui y traînent. Il en arrive même à ne plus pouvoir sentir ses congénères ou pire encore, lui-même. Il y a des odeurs qui rappellent trop le fauve et d'autres qui respirent le péché et qui pour un peu l'inspireraient. *Vade retro Satanas !* Vite l'eau, la brosse, le savon, et trois ou quatre pulvérisations de déodorant.

En réalité, la sensibilité de nos narines est plus grande qu'on ne croit. Ils le savent bien les services de sécurité aux USA qui continuent d'utiliser des « renifleurs » plutôt que des appareils pour détecter les fuites de gaz, et la FDA qui emploie des « super nez » pour dépister les aliments et les boissons avariés. Quant aux « nez » de notre industrie du parfum, ils sont capables de distinguer six mille nuances ; et nos taste-vin et nos goûteurs d'eau nous étonnent par leurs prouesses. Rappelons que la dégustation se fait pour l'essentiel par la muqueuse olfactive, la langue, elle, ne pouvant déceler que quatre goûts (le sucré, le salé, l'amer et l'acide).

C'est pourquoi chez l'homme contemporain les odeurs gardent un rôle important. Chez le nouveau-né, dont la vision et l'audition sont encore floues, les phéromones du sein maternel l'aident à « s'y retrouver ». Chez l'enfant les odeurs de sa mère lui permettent de l'identifier – et donc de s'apaiser – aussi bien que le fait sa vue. À tous les âges, les odeurs que nous émettons établissent à notre insu une communication avec les autres ; elles plaisent ou déplaisent, elles attirent ou repoussent. Et sans doute, ce langage mystérieux participe de nos affinités et de nos répulsions. N'est-ce pas ce que nous sous-entendons quand nous déclarons : « Je ne peux pas le sentir, celui-là » ou « je l'ai dans le nez » ou « Elle m'attire, c'est physique » ?

Des travaux récents ont confirmé l'existence et le rôle social et sexuel des phéromones chez l'humain. Ils ont montré, par exemple, que les odeurs corporelles variaient selon l'humeur, le mode de vie, le régime, la maladie (mais cela les médecins d'antan le savaient bien et en faisaient un élément de leur diagnostic). Rappelons que chez les animaux, en particulier chez les singes supérieurs, ce sont les sécrétions vaginales émises par les femelles au moment de l'œstrus (la phase d'ovulation et donc de fécondité) qui déclenchent le rut du mâle et la sécrétion par celui-ci de phéromones qui, en retour, exaspèrent les chaleurs des femelles. Or, les chercheurs ont pu déceler dans le vagin de la guenon la substance qui déclenche l'ardeur du mâle : c'est un acide volatil, la copuline. Mieux, ils ont constaté que cette copuline de guenon provoquait le désir sexuel chez l'homme. Enfin, ils ont trouvé dans les sécrétions de la femme des composés voisins. À noter que la pilule et l'ovariectomie diminuent les sécrétions des substances aphrodisiaques de la femme, précise Ruth Winter[12].

D'autres chercheurs ont découvert qu'une substance, l'androstérone 124, qu'on trouve dans les sécrétions sexuelles du porc, se retrouvait aussi dans la sueur axillaire et dans les urines de l'homme. Or, cette substance est plus perçue par la femme que par l'homme. Et plus encore si la femme est en phase d'ovulation. À noter que la femme sous pilule ne peut plus la percevoir ; non plus que l'homme à qui l'on injecte des œstrogènes.

Enfin, il est une substance à odeur de poisson, la triméthylamine, qui a la faculté d'exciter le désir sexuel des mammifères, y compris de l'homme. Sans doute existe-t-elle dans les sécrétions vaginales féminines – qui ont une si bonne odeur de marée. En tout cas, on la trouve dans le sang menstruel qui, on le sait, a le pouvoir d'attirer les animaux mâles ; on la trouve également dans une plante dite « vulvaire » ou « bonne dame » (*Chenopodium vulvaria*) qui attire le chien. Un dernier mot sur les recherches récentes : la sensibilité olfactive de la femme varie avec son cycle ; à l'ovulation, elle est de 100 à 100 000 fois plus aiguë qu'à la menstruation.

Quel que soit notre mépris pour nos odeurs corporelles, la nature toujours l'emporte : l'impact de ces odeurs, comme de beaucoup d'autres du reste, est tel, qu'à notre insu, comme Ruth Winter l'affirme : « Les hommes sont manipulés par les odeurs exactement comme un papillon. »

Les odeurs ont-elles quelques vertus thérapeutiques ? Les médecines orientales l'ont prétendu, qui affirmaient que certaines odeurs rechargeaient « l'énergie subtile », que d'autres apaisaient le cœur. Quant aux médecines occidentales, elles utilisaient largement les remèdes odoriférants – baumes, élixirs et autres essences aromatiques. Des études récentes ont montré que certains arômes ont des effets physiologiques, en particulier des effets sur la fatigue et la dépression. De toute façon, toute odeur agréable remplit son office : apporter de l'agrément et du bien-être[3].

Servons-nous en particulier et régalons-nous sans réserve des délicieuses et souvent capiteuses odeurs naturelles de l'être aimé. « L'interaction réciproque de ces odeurs constitue l'essence de l'amour [...] Renifler est essentiel à toute vie amoureuse », écrit Ruth Winter. Faites de véritables inhalations conscientes, prolongées, redoublées des fragrances et autres arômes que vous offre l'aimé(e). Elles vous procurent plaisir, détente, voire euphorie. Et une vie sexuelle tellement plus riche, car les odeurs décuplent le désir et l'imagination.

Irrésistibles contacts

Au plus profond de la bulle, nous trouvons le contact avec la peau. De toutes les sensations, c'est la plus tangible, la plus concrète. Le toucher peut se décliner en caresses, ou s'imprimer en étreintes. La caresse est le contact de notre main avec une partie du corps de l'autre, ou bien le contact d'une partie de notre corps avec une partie du corps de l'autre. Les caresses sont multiples et multipliables à l'infini. L'étreinte, elle, est le contact de toute la surface de notre corps avec toute la surface du corps de l'autre ; impression d'immersion, bien que la peau soit plane ; c'est que les corps s'arrondissent et se creusent, que les bras se font rives, que les jambes se font grèves, qu'au fond les ventres s'abîment et qu'au-dessus le visage ferme le ciel. Nous voilà à l'océan revenus. Nous voilà à la mère retournés. Bonheur de chaque pore !

Cependant le bonheur ressenti a des racines plus profondes encore que les années d'enfance : il est aussi la satisfaction immédiate d'un besoin commun à tous les mammifères, hommes et animaux, voire à tous les vivants, le besoin d'être touché. Il est tellement fondamental qu'en son absence, le développement nerveux, la croissance et la vie même des êtres sont compromis. Les animaux le savent bien qui ne se privent pas de s'administrer moult contacts : voyez comme ils se lèchent les uns les autres, se mordillent, s'épouillent, se frottent, se nichent et jouent. Voyez comme les mères lèchent les petits. Voyez comme ils se lèchent eux-mêmes.

Sachez que le « léchage d'amour » des petits par la mère n'est pas un simple débarbouillage, c'est aussi une façon de stimuler certaines fonctions vitales : l'élimination urinaire, l'excrétion intestinale, etc. Si la mère disparaît, les léchages cessant, les fonctions se bloquent et les petits meurent ; à moins que l'éleveur ne réussisse à provoquer les épurations en caressant le ventre et le périnée des bébés avec un coton-tige. Apprenez également qu'en se léchant eux-mêmes, les animaux font plus que se nettoyer le pelage, ils stimulent également leurs fonctions vitales : le système digestif, le système urinaire, la circulation, l'appareil nerveux et l'appareil génital.

Harlow, par ses fameuses expériences chez les singes, a bien montré que l'allaitement des petits ne répondait pas seulement à un besoin d'aliments mais qu'en plus, grâce aux contacts avec la mère qu'il générait, il satisfaisait un besoin affectif. Les bébés singes qui étaient nourris par un biberon automatique inséré sur un mannequin en fil de fer présentaient de graves troubles de la conscience et du comportement : ils se tenaient dans un coin de la cage, suçant leur pouce, se balançant et s'automutilant ; devenus adolescents, ils fuyaient leurs congénères, devenus adultes, ils refusaient la copulation, devenues mères, elles ne savaient pas materner leurs petits. Toutefois si l'on revêtait un mannequin avec de la laine et qu'on y disposait une ampoule chauffante, les troubles des bébés étaient moindres. Il en était de même si l'on introduisait dans la cage un autre bébé, ne serait-ce qu'une heure par jour. Harlow concluait qu'on ne peut réduire le rôle de la mère à sa fonction alimentaire ; un autre rôle est aussi important : le contact affectif.

On pourrait en dire autant de l'humain : il ne vit pas seulement de lait mais aussi du lait de la tendresse, c'est-à-dire de contacts chauds et chaleureux. On peut même affirmer que le besoin de stimulations cutanées est un besoin biologique fondamental, aussi important que le besoin d'air, d'eau et de nourriture ; l'équilibre physiologique et psychologique de l'enfant comme de l'adulte requiert un minimum de contacts. Prenons les bébés en couveuse : Sokoloff[4], dans une étude, avait comparé deux lots d'enfants élevés en couveuse ; dans le premier lot, les bébés ne recevaient que le minimum de contacts liés à l'alimentation et aux soins d'hygiène ; dans le second lot, on offrait en plus moult caresses et bercements : les enfants du second lot étaient plus vifs, plus éveillés, leur croissance était meilleure et plus grande leur résistance aux maladies.

Rappelons également le sort des bébés des orphelinats américains au début du siècle : 80 % d'entre eux mouraient avant l'âge d'un an d'un inexorable dépérissement, quelle que soit l'excellence de la nourriture et de l'hygiène. En 1920, un pédiatre, Fritz Talbot[4], constata que dans un de ces orphelinats, la mortalité était bien moindre et lia cette heureuse évolution au fait qu'une nurse noire bichonnait les enfants qui dépérissaient, comme s'ils étaient les siens ; aussi prescrivit-il au personnel d'autres établissements de cajoler, caresser et bercer les enfants ; la mortalité tomba à 10 %.

Examinons enfin le cas des enfants plus grands séjournant dans des orphelinats ou dans des hôpitaux en longs séjours et comparons-les aux enfants de même âge élevés dans les familles. On constate que la croissance pondérale et osseuse des premiers, ainsi que leur développement psychomoteur sont inférieurs à ceux des seconds, qu'ils sont plus sujets aux diarrhées et surtout aux maladies de peau ; de plus, leur comportement est bizarre : ils sucent plus souvent leur pouce, ils se balancent, leurs attitudes sont raides et ils restent rigides quand on les prend dans les bras.

Il en est de même de tous les enfants privés de contacts. Tout se passe comme si ces frustrés devaient s'endurcir et sécréter une carapace pour ne pas ressentir le manque. Que deviendront ces « ours mal léchés » quand ils seront adultes ? Souvent ils donneront des êtres durs, taciturnes, mal dans leur peau, manquant de tendresse et réticents aux caresses ; des êtres plus exposés aux maladies psychosomatiques : maladies de peau, contractures douloureuses des muscles (le cou et le dos surtout) et spasmes des viscères (l'estomac, le colon, etc.). À croire que l'individu qui n'a pas bénéficié de relations chaleureuses avec sa mère, ne peut établir de relations harmonieuses avec son propre corps.

Les adultes frustrés de contacts verront également leur caractère s'aigrir et leur corps frappé des mêmes troubles. C'est dire l'importance de l'intimité physique.

Les désordres qui atteignent les êtres frustrés de contacts se comprennent quand on découvre les nombreux effets bénéfiques que les stimulations cutanées apportent tant au corps qu'au mental. Par stimulations cutanées, il faut entendre non seulement les caresses, mais toutes les formes de contacts : le pincement, la griffure, la pression, l'étreinte, le massage, le « foulement », sans oublier le mordillement, le baiser, la succion[5].

Avant de passer en revue les bienfaits du toucher, rappelons ce qu'est la peau. C'est tout d'abord une surface immense : au total 18 000 cm^2 chez l'adulte. C'est aussi un organe sensoriel bourré de capteurs sensitifs – 5 à 125 par cm^2, selon les endroits, l'épiderme des mains, comme de bien entendu, détenant la plus forte densité. Nous avons, globalement, 1 800 000 récepteurs en attente. Certains capteurs sont sensibles aux contacts, d'autres au chaud, d'autres encore au froid ; il y en a même qui sont spécialisés pour percevoir la volupté. Leur sensibilité est fine et n'a rien à envier aux organes sensoriels dits « nobles », comme la vision ou l'audition. Bref, la peau est bien plus qu'un tissu d'emballage.

Sur le corps les bienfaits du toucher sont innombrables ; je ne citerai que ceux qui concernent plus particulièrement l'intimité physique : le relâchement des contractures musculaires et la recharge énergétique. Le relâchement des muscles crispés va favoriser la relaxation nerveuse, or nous verrons que la condition fondamentale pour jouir d'une intimité optimale est de savoir se détendre. C'est par une action-réflexe que s'opère ce relâchement : l'arc-réflexe part de la peau stimulée, passe par la moelle épinière et revient au muscle, selon le principe de la réflexothérapie. Notons qu'en elle-même, la décrispation des muscles participe au bien-être ressenti.

La recharge en énergie et l'effet antifatigue qui en résulte ne sont pas tant liés à un apport d'énergie par le partenaire qu'à la remise en circulation des énergies stagnantes chez le touché. En Occident, cette notion « d'énergie » n'a pas encore trouvé de base scientifique en tant que phénomène électromagnétique mesurable, mais les Orientaux, plus pragmatiques, l'utilisent depuis des millénaires. Selon eux, la peau est parcourue par des flux d'énergie qui y empruntent des voies propres ; en médecine chinoise, ces vecteurs de force se nomment les « méridiens ». En médecine hindouiste, les centres d'énergie s'appellent les « chakras ».

La santé se caractérise par une bonne réserve d'énergie, son harmonieuse répartition et sa libre circulation. La maladie, elle, serait due à une réduction de la quantité totale d'énergie ou, plus souvent, à des entraves à sa circulation. Restaurer la santé, c'est donc renforcer les réserves énergétiques ou, surtout, libérer leur circulation. C'est ce que fait l'acupuncture ou la digitopuncture – celle-ci, comme son nom l'indique, se pratique avec la pulpe des doigts. En ce qui concerne l'intimité, pourquoi ne pas penser que les divers contacts cutanés qu'elle génère – caresses, pression sur la peau, etc. – puissent avoir les mêmes effets bienfaisants ?

Autres phénomènes liés aux énergies et qui pourraient intéresser l'intimité : les « auras ». Ce sont des sortes d'enveloppes « magnétiques » qui entoureraient le corps en plusieurs couches. Bien que rien, ici aussi, ne soit encore prouvé scientifiquement – l'effet Kirlian n'étant qu'une amorce d'étude –, il est probable que le corps soit enveloppé d'un champ électromagnétique et qu'il émette des rayonnements. J'ai pu constater à diverses reprises l'efficacité de certains « magnétiseurs », et même percevoir sur ma peau « l'influx » qui émane de leurs mains ; or, ces personnes affirment que tout être est porteur d'un tel pouvoir magnétique. Alors on peut imaginer qu'en entrant dans la bulle de l'aimé(e), puis en entrant en contact avec sa peau, on provoque également des modifications énergétiques ; celles-ci seraient partie prenante du bien-être ressenti et contribueraient au ressourcement des forces.

Les bienfaits des stimulations cutanées sur le psychisme sont aussi très importants, citons les principaux : elles ont une action sédative, en d'autres termes, elles abaissent la tension nerveuse ; elles ont aussi un effet tranquillisant, dit « anxiolytique », c'est-à-dire qu'elles apaisent l'anxiété ; elles ont enfin des vertus antidépressives, dites encore « thymo-analeptiques », c'est-à-dire qu'elles combattent la tristesse, stimulent la bonne humeur et relancent la joie de vivre. Ces effets bénéfiques sur le mental ont des explications psychologiques. Si la caresse est apaisante et réconfortante, c'est qu'elle s'oppose à cette solitude radicale que redoute tant l'humain ; la caresse en effet est la preuve la plus tangible de la sollicitude de l'autre, c'est-à-dire de la non-solitude. Dans le rapport sexuel on peut se sentir seul à deux, il peut être une recherche égoïste de plaisir où l'un des deux est exploité, chosifié ; à la limite, le plaisir sexuel peut s'obtenir sans partenaire. Dans la caresse, on est forcément deux, c'est un geste plus oblatif, plus généreux ; il peut même être gratuit.

De plus, la caresse est un langage, une forme de communication non verbale : la main qui donne la caresse parle, dit sa tendresse, son estime, sa prévenance, son désir et elle apaise et sécurise ; cette main écoute aussi les réactions de celui ou celle qu'elle touche, les frémissements, le magnétisme et la chaleur de sa peau et les tressaillements de son corps ; elle ressent son abandon, sa confiance, son émotion, son désir, son plaisir, ses aveux. C'est un vrai dialogue car si le verbe peut tromper, la peau, elle, ne sait mentir.

Les bienfaits sur le mental ont également une explication physiologique : le toucher engendre du plaisir, or le plaisir s'accompagne de la sécrétion par les centres hédoniques cérébraux – situés dans le système limbique – de neurohormones ; parmi celles-ci il y a les fameuses endomorphines, substances pourvues de « vertus » étonnantes : elles sont tranquillisantes, antistress, antidouleur et euphorisantes.

Dans l'intimité, nous sommes comme imprégnés par ces merveilleuses endomorphines.

Enfin, l'impact psychique des stimulations cutanées s'explique aussi par l'embryogenèse, c'est-à-dire la formation des différentes parties du corps durant les premières semaines de la vie intra-utérine. En effet, on sait que la peau provient d'un groupe de cellules fœtales – l'ectoblaste – qui bientôt se divisera en deux feuillets, l'un donnera naissance à la peau, l'autre au système nerveux. Ces deux tissus ayant donc la même origine, conserveront une sorte de parenté et d'interdépendance. C'est pourquoi on voit des perturbations psychiques se traduire par des maladies de l'épiderme ; par exemple, un événement traumatisant ou un état anxieux pourraient provoquer de l'urticaire, de l'eczéma ou du psoriasis.

Maintenant nous comprenons mieux encore pourquoi toucher et être touché font tant de bien. Et pourquoi l'intimité de la bulle, véritable bain de contacts, nous délivre un tel bonheur.

Le mari de Jeanne est atteint d'un diabète compliqué d'artérite des membres inférieurs. Comme c'est souvent le cas, le mal a touché les artères du bassin, provoquant une impuissance érectile. « Je me passerais bien de rapports sexuels, me confie Jeanne, si au moins il me prenait dans ses bras. Mais il ne m'a pas touchée depuis trois ans ! »

Carine vient d'avoir une vaginite. Tout rapport sexuel lui fut interdit pendant quelques semaines, même avec préservatif, afin d'éviter la contamination du conjoint et l'irritation de ses propres muqueuses vaginales. « Alors, raconte Carine, mon mari s'est mis à me caresser les seins, le dos, le cou, les jambes, toutes les parties de mon corps, longtemps et avec délice. C'était tellement bien que je ne me suis pas sentie frustrée, lui non plus du reste. Il faut dire que moi aussi je le caressais largement. Maintenant que je suis guérie, j'espère qu'il va continuer à s'intéresser à tout mon corps. »

Au total, la bulle constitue un microcosme paradisiaque où toutes les sortes de sensations possibles, dans leur registre le plus doux et le plus agréable, enveloppent l'aimé(e). Peut-on aller plus loin dans le bien-être ? Peut-on aller au-delà de la peau ?

Chapitre 2

L'INTIMITÉ PHYSIQUE : L'IVRESSE DES PROFONDEURS

La bulle, aussi proche soit-elle du corps, n'en est que la banlieue. La chair qui palpite, le sang qui pulse, le cœur qui bat et l'âme..., c'est au-delà de la peau qu'ils se trouvent.

Alors comment accéder au plein de l'intimité, au saint des saints pour communier plus encore avec l'autre ? L'envie vous prend de vous glisser sous son enveloppe et, cannibale, d'en dévorer le contenu – « Je te mangerais tellement je t'aime », disent les amants. Civilisé(e), vous choisissez alors la voie d'un sacrifice symbolique et, adorateur, vous inventez toutes sortes d'eucharisties pour concilier la pulsion et le divin. C'est le désir qui va vous inspirer.

LES PORTES DU DÉSIR

Admirez avec quelle ferveur les regards se cherchent, se scrutent, tentent de voir au-delà du miroir, essaient même de pénétrer en l'autre. Seuls les plus fervents voient le tain s'entrouvrir ; alors, pendant quelques fractions de seconde, ils entrevoient un puits d'une profondeur incommensurable où dansent tant de lumières et d'ombres que le vertige les prend. « Dieu, que tu es infini(e) ! » Plongée fulgurante et éphémère dont ils sortent conquis et frustrés à la fois. Et chacun reste sur sa faim. Heureusement le désir veille.

Voyez, maintenant ce sont les bouches qui se cherchent, s'unissent, s'aspirent, s'entre-dévorent. Voyez les lèvres gorgées de sang qui se collent, se pressent, se tètent, se dégustent. Voyez les dents sur lesquelles s'appuie le baiser, s'agacer, n'en plus pouvoir de mordiller. Voyez les langues qui s'avancent, lèchent les lèvres, explorent les dents et se faufilent soudain sous le palais. Langue, presqu'île de l'autre en soi. La voilà la première effraction et le premier accueil, prémices de l'interpénétration des sexes ! La voilà la communion première ! Car la peau qui, à longueur de corps, unissait et séparait tout à la fois les amants, la peau ici s'est affinée.

Seule subsiste entre eux la diaphane pellicule d'une muqueuse. C'est dire qu'entre votre chair et la sienne, il n'y a plus rien ou presque ; vous la sentez en sa réalité, tendre, chaude, pulpeuse. C'est dire qu'entre votre sang et le sien, il n'y a plus rien ou presque ; vous le sentez affluer, passer, glisser. Comme une transfusion de bouche à bouche. Vous iriez jusqu'à le boire. Vous vous consolez en buvant sa quintessence, cette salive qui sourde en elle, en lui et qu'il, elle, vous offre ou que vous allez chercher à sa source. Mais, si profonds que soient vos baisers, ils vous laissent sur votre soif, eux aussi. Heureusement ici encore, le désir ne cesse de veiller.

Voyez comme les amants sondent leurs visages à la recherche d'autres entrées. De la pulpe des doigts, du rebord des lèvres et de la pointe de la langue, ils effleurent les narines, les paupières, les oreilles. En vain. Sauf que le désir s'accroît. Les voilà maintenant qui explorent des corps les failles. Les aisselles sont en matière d'arômes une grotte d'Ali Baba, mais en leur fond, pas de siphon où se glisser. Le nombril par où est entré le sang de la mère, en un mot, la vie, conduirait-il désormais aux profondeurs de l'autre ? À vrai dire, cette recherche à travers visages et corps n'est qu'une excursion fantasmatique, à peine pensée, à peine ébauchée, car il y a belle lurette que le désir s'est niché dans les sexes et crie à tue-tête.

LA VOIE ROYALE

Alors, voyez comme les sexes se parent, se préparent, se parfument. Voyez comme ils se gorgent de sève et de chaleur. Voyez comme ils s'offrent, se tendent, s'invitent, s'approchent. Voyez comme ils se joignent, s'ajustent, se fondent. Les voilà sang contre sang, feu dans le feu. Les voilà qui échangent leurs pulsations et leurs essences. Les voilà au plus profond. Au plus profond ? En anatomie, on appelle le fond du vagin « les culs-de-sac vaginaux », mais les amants n'en ont cure ; eux, ils vont bien au-delà : jusqu'au ventre, jusqu'au cœur, jusqu'à la gorge, jusqu'à la tête, jusqu'à l'âme. Ils vont où leur amour les porte, jusqu'où le plaisir les transporte. Car le plaisir ici est violent et il deviendra extrême. Il dilate les êtres – leurs corps, leurs âmes. Il fait fondre toutes limites – des corps, des âmes –. Et quand d'extrême il se fait cosmique, quand les cris fusent et annoncent que les enveloppes sont consumées et le ciel atteint, ceux qui étaient dehors se croient dedans, ceux qui étaient deux se sentent un. Et ils se pensent infinis.

Cependant, aussi sublime soit-il, l'événement ne dure que ce que durent les cyclones. On a cru être Dieu et un, et nous voilà de nouveau humains et deux. Faut-il pour autant désespérer d'être un jour infiniment au cœur de l'autre ? Réjouissons-nous plutôt qu'ils existent, ces moments de fusion ; l'état de conscience où ils nous placent – cet agrandissement et cette élévation de soi –, en nous ouvrant à l'autre et à l'univers, nous donne un aperçu du divin. Réjouissons-nous aussi de ce qui en reste : ces liens resserrés avec notre aimé(e). Et, surtout, tirons de ces fulgurances la leçon : que le chemin vers l'autre ne peut passer par la seule intimité des corps. Pour accéder à son intériorité, pour en connaître le noyau, l'intimité psychique est sans doute une voie plus sûre.

Sexualité et intimité

L'intimité est plus large que la sexualité, elle la dépasse de tous côtés. Si l'on considère une séquence d'intimité physique, la sexualité peut y être présente ou non. Présente, elle peut se situer au début de la séquence et être alors l'initiatrice de l'intimité qui va suivre ; inversement, si la sexualité survient plus tardivement, c'est l'intimité préalable qui l'aura engendrée. Tantôt la sexualité initie l'intimité, tantôt l'intimité amène la relation sexuelle. De toute façon, les moments qui précèdent cette relation – les préludes –, ou qui lui succèdent – le postlude –, sont particulièrement importants pour l'intimité. Non seulement ils créent les conditions propices à son éclosion, mais surtout ils déterminent sa qualité.

Les préludes, cette phase indispensable à la préparation érotique des corps – par les caresses, les baisers et tutti quanti – pourraient aussi être l'occasion de rapprocher les cœurs par le truchement de la tendresse, des compliments, des confidences et de la complicité. Du reste, sous l'angle du plaisir, cette préparation psychique est aussi importante que la préparation sexuelle. La tendresse est le meilleur des aphrodisiaques. Encore faut-il que tout cela se fasse de façon authentique et spontanée et non par tactique.

Le postlude est encore plus propice à l'intimité, car ici toutes les conditions sont réunies pour qu'elle soit réussie : la complicité étroite inhérente à l'acte, l'état de conscience élargie où nous laisse le plaisir, la disparition des limites individuelles, la gratitude réciproque pour l'extrême bonheur partagé, le bien-être voire l'euphorie dans lesquels nous plongent les endomorphines, en deux mots, la flambée d'amour qui s'ensuit, tout cela incite à de véritables échanges d'âme à âme.

C'est au cours de ces deux phases que la femme attend de l'homme qu'il sache l'aimer. Des préludes, elle espère certes les bonnes et longues caresses qui feront éclore son sexe et la mettront sur la voie de l'extase, elle espère surtout les mots et les gestes qui lui prouveront qu'il l'aime, qu'il l'apprécie, qu'il l'a choisie, les mots et les gestes qui la feront s'aimer, qui la sécuriseront et lui permettront de s'abandonner. Elle veut être une reine, non un objet sexuel. Aussi l'homme qui aura su la chérir et l'honorer sera récompensé au centuple, car la tendresse est le meilleur des aphrodisiaques : ensemble ils iront vers de très hautes cimes.

En ce qui concerne le postlude, la tendresse est encore plus fondamentale. Rien n'est pire pour une femme que de voir l'homme assouvi se détacher d'elle et se retirer dans son coin pour s'endormir ou, pire, fumer une cigarette. Elle a alors l'impression d'avoir servi d'exutoire. Elle rêve, au contraire, que les caresses et les baisers de l'homme continuent de fleurir son corps, de le louer, de le remercier, que les mots, de même, disent son estime, sa reconnaissance, son admiration. Plus que belle, mieux que reine, la femme est alors divine. Ne vous a-t-elle pas fait croire que vous étiez Dieu ? Adorez cette femme, prosternez-vous devant son corps, embrassez religieusement son sexe, là au plus ardent entre ses nymphes, puis là, sur le buisson de Vénus. Embrassez son ventre en son dôme, embrassez les colonnes de ses cuisses. Baisez telles des reliques sacrées la pointe de ses seins, l'ourlet de sa bouche, le centre de son front. Sa chair est une coulée de lave, sa peau un champ d'arômes.

Alors commence la plus intense des intimités. Glissez-vous le long de son corps, sentez vos peaux brûler, joyeuses, vos souffles s'accorder en s'apaisant. Vos lèvres ointes de vos fragrances réciproques se joignent. Et la chair se fait verbe : vous ne quittez sa bouche que pour murmurer à son oreille ce qui monte du plus profond de vous et voilà qu'elle vous confie ce qui surgit du tréfonds de son être. Vous voilà bien au cœur de l'intimité.

Entre préludes et postlude se célèbre l'union des sexes. Elle peut être aussi une forme de conversation intime, surtout si vous savez la prolonger ou, mieux encore, si vous la pratiquez comme une « caresse intérieure[5] ». C'est une longue, une très longue communion, où alternent des phases de mouvements rapides et des phases de lentes ondulations, voire d'immobilité, sorte de promenade du sexe dans le sexe, où l'on se regarde, où l'on devise, où l'on se caresse. Les amants peuvent se promener ainsi des demi-heures ou même des heures. Intimité fabuleuse que celle-là. Encore faut-il que l'homme ait acquis la maîtrise de son éjaculation, ce qui s'apprend.

Il est aussi des séquences d'intimité où la sexualité, sinon la sensualité, peut être absente ; c'est le cas de « la caresse gratuite[5] ». C'est la caresse donnée et reçue dans le seul but de se faire réciproquement du bien, de s'apaiser, de se chérir sans envisager de rapports sexuels. À vrai dire, il s'agit de satisfaire ce fameux besoin de contacts. À ce sujet, il semble que la femme discerne mieux ce qui est besoin tactile et ce qui est besoin génital. Une femme peut se déshabiller uniquement pour sentir contre sa peau nue une autre peau nue ou pour bénéficier d'une étreinte. Hélas, l'homme trop souvent interprète cette attitude comme une invite sexuelle ; cette confusion oblige les femmes qui veulent combler leurs besoins de peau à passer par l'acte sexuel.

De fait, tout se passe comme si l'homme en lui-même faisait l'amalgame entre le plaisir de toucher et le désir sexuel. À preuve, dans les stages de massages californiens, on remarque que les hommes entrent en érection dès qu'on les touche. À preuve encore ces patientes qui m'ont confié que dès qu'elles s'approchaient de leur mari pour le caresser tendrement, comme elles le feraient pour un de leurs enfants, celui-ci croyait qu'elles avaient envie de faire l'amour. Cela s'explique par l'antique interdiction culturelle faite aux hommes d'être tendres. Seule la bandaison était autorisée, voire même glorifiée. En outre, la pulsion masculine si elle n'est pas plus prégnante que celle des femmes – libérées – est plus concentrée, ponctuelle, externe.

Amener l'homme à la caresse gratuite, c'est agrandir les possibilités d'intimité – sa durée, sa profondeur, sa fréquence. En effet, quand l'objectif du rapprochement est à chaque fois le rapport sexuel, le désir conditionné à ce but est toujours pressant et exige un rapide soulagement : la tension, quand elle n'est jamais contrôlée, réclame une décharge immédiate. Cette habitude, en créant des automatismes, risque d'abréger et de raréfier les occasions d'intimité physique. Il est donc souhaitable que les partenaires conviennent que tous rapprochements comme tous contacts n'ont pas à déboucher forcément sur un coït. À côté de l'autoroute de la pénétration, il existe cent chemins buissonniers qui, à travers peau, peuvent dispenser beaucoup de bonheurs. L'homme y vient de plus en plus, car il découvre combien le toucher est bienfaisant et généreux ; et il se donne désormais le droit de s'y adonner lui aussi. Encourageons-le, car ce qui est bon pour la peau est bon pour l'intimité.

En résumé, l'homme accède à l'intimité poussé par ses besoins sexuels ; il en découvre alors les charmes et – à condition d'oublier ses anciens préjugés – s'y plaît jusqu'à même adopter des séquences sans sexualité, où il trouve le bonheur de donner et de recevoir gratuitement tant de caresses.

Nous avions dit que l'intimité dépassait la sexualité ; nous l'avons bien vu dans le cours d'une séquence d'intimité physique. Mais, passée cette extrême proximité, l'intimité peut continuer au long des jours, au long des nuits, au long de la vie. Les regards doux, les caresses furtives, les baisers volés et les mots tendres faufilent le temps. Et plus les années passent, plus l'intimité s'approfondit et l'emporte sur la sexualité.

Intimité et promiscuité

Promiscuité est le terme qu'emploient les auteurs pour désigner les rapprochements sexuels sans participation affective. C'est faire fonctionner ses organes sexuels et les satisfaire en utilisant l'autre comme un objet, sans implication sentimentale, sans projet et de façon fugace. Séparer la sexualité de la sphère affective, et a fortiori de toute spiritualité ne permet pas d'instaurer une véritable intimité ; celle-ci engage à la fois le corps, le cœur et la tête.

Intimité sans sexualité

Il arrive que pour cause de maladie ou d'âge avancé, l'on doive suspendre, ou même cesser, toute activité sexuelle. Certains alors décident de renoncer à toute intimité. C'est dommage car l'intimité peut, dans ce cas, prendre des formes tout aussi heureuses ; il reste l'immense champ de la sensualité dans toutes ses modalités – le toucher, l'odorat, l'ouïe, etc. ; et sur le plan affectif, il est des tendresses qui relaient merveilleusement la passion ; quant aux échanges intellectuels et spirituels, c'est l'occasion de les approfondir et de les élargir. J'ajouterai que sur le plan sexuel le renoncement total est rarement obligatoire : un minimum de satisfaction des désirs est toujours possible, y compris l'extase suprême ; la caresse des sexes par la main ou la bouche est un recours valable.

Chapitre 3

DÉSIR, PLAISIR ET INTIMITÉ

Le désir est la source première de l'intimité, c'est la force mobilisatrice qui nous déplace vers l'autre, c'est l'énergie d'arrimage qui nous accroche à lui. La rencontre de soi et de l'autre relève d'une force d'attraction semblable à la loi cosmique de gravitation.

LE DÉSIR

Au fond de nous, il y a l'instinct sexuel qui est la source biologique du désir ; c'est une pulsion que nous ressentons comme une envie de faire l'amour. Son centre physiologique se situe dans l'étage archaïque du cerveau – l'hypothalamus – qui est le siège de toutes les pulsions primitives (pulsion orale, pulsion agressive, pulsion sexuelle).

À notre surface, il y a des capteurs innombrables qui s'associent pour former les organes des sens, chaque organe étant spécialisé dans la réception d'un type de signal : la vue capte les vibrations optiques, l'oreille les vibrations sonores, l'odorat les molécules odoriférantes, la peau les contacts.

En dehors de nous, mais proche, il y a l'autre, qui émet des signaux : visuels, sonores, odoriférants, tactiles. Certains de ces signaux sont naturels, spontanés, involontaires, telle la dilatation des pupilles, dite mydriase, la rondeur des formes, les odeurs volatiles ; d'autres sont volontairement envoyés, tels les regards, les fards, les parures, les parfums, les mots, les caresses, etc.

Lorsque les signaux de l'un rencontrent les capteurs de l'autre, ils se font déclencheurs : aussitôt captées, les vibrations engendrent un influx nerveux qui, via les neurones, porte la bonne nouvelle au centre du désir. Celui-ci ordonne le branle-bas de combat, distribuant ses ordres tous azimuts : les récepteurs sensoriels sont priés d'être hyper-attentifs pour ne rien perdre des messages, les centres des émotions d'élaborer derechef les émois appropriés (désir, joie, appréhension, attente, etc.), les organes sexuels de se préparer à entrer en scène, le cerveau supérieur de produire les fantasmes amplificateurs et d'inventer les mots qui habilleront les gestes du désir.

De ces interactions, il s'ensuit que tout ce qui contribuera à ternir les signaux ou à diminuer la sensibilité des récepteurs, nuira au désir et attentera à l'intimité. Il faudra donc toujours veiller à entretenir la puissance d'attraction de son corps.

Le manque

Il est constitutif du désir. La force du désir est proportionnelle à l'importance du manque. Si l'être désiré est à proximité et aisément accessible, le manque, facile à combler, est léger et leste le désir. Si l'objet du désir est inaçcessible – éloigné ou interdit – le manque, impossible à combler, est profond et le désir ténébrant. Supposons que l'objet soit à nouveau accessible – se rapproche ou devienne autorisé –, le manque va se réduire et le désir aussi. Bref, nous ne désirons rien tant que ce que nous ne possédons pas, mais ce que nous avons, nous nous en lassons.

La différence

Le désir naît de la différence. La différence, c'est l'inconnu donc l'imaginé, ce qui est à explorer, voire à posséder. Tout ce qui souligne la spécificité de chacun aiguise le désir, stimule l'amour. Inversement, tout ce qui estompe les dénivelés stérilise la curiosité et éteint le cœur.

Les sentiments

Il est possible de désirer et de jouir sans aimer. Mais aimer donne au désir une qualité et une intensité incomparables.

Les fluctuations

L'intensité du désir varie d'un individu à un autre. Certains ont envie de faire l'amour plusieurs fois par jour, d'autres une fois par semaine, voire par mois. Pour un même individu, le désir varie selon les jours en fonction de la fatigue, des préoccupations, des maladies, du cycle menstruel et des biorythmes. Il varie aussi selon l'âge.

Le plaisir

Sous l'effet du désir, nous passons à l'acte et nous obtenons du plaisir : de multiples plaisirs couronnés par le plaisir suprême, l'orgasme. L'obtention du plaisir renforcera le désir car désormais l'envie est associée à la jouissance survenue. C'est la mémoire qui joue ce rôle renforçateur : le désir s'amplifie du souvenir ; à la pulsion basique s'ajoute l'anticipation d'un plaisir escompté.

Jusqu'ici, en Occident, le plaisir n'était pas un bonheur sans mélange. Certains penseurs chrétiens, suivis par l'Institution – l'Église – en ayant fait un péché, nous avions mauvaise conscience à jouir de notre corps ; d'autant que ces mêmes théologiens faisaient parallèlement l'apologie de la souffrance. Voilà pourquoi nous nous complaisons dans une mentalité de masochistes. Pourtant, le plaisir en général, comme ceux de la table en particulier, et les plaisirs sexuels ne sont nulle part condamnés dans les textes inspirés : la Bible évoque plus de cent fois l'acte d'amour et les Évangiles mettent en scène plusieurs dizaines de banquets dont les fameuses noces de Canna et « la Cène » fondant l'eucharistie. Dans *La Mâle Peur*, ainsi que dans *Le Traité du plaisir*, j'ai montré que le plaisir n'était pas proscrit.

De toute façon, on ne voit pas pourquoi le Créateur nous aurait pourvus d'un système aussi complexe et élaboré que le système hédonique si ce n'était pour que l'on s'en serve. En effet le plaisir n'est pas une sensation aussi futile que subjective, c'est une réalité biologique fondamentale, qui s'appuie sur un système, comme la respiration s'appuie sur l'appareil respiratoire et le psychisme sur le système nerveux. Le système hédonique a ses centres propres dans le cerveau (l'hypothalamus et les formations limbiques) et ses molécules propres sécrétées par les neurones de ces centres (des neurotransmetteurs, telles la dopamine et la sérotonine, et des neurohormones, telles les endomorphines). Du reste, toute activité agréable s'accompagne d'un accroissement dans le cerveau ou dans le sang du taux de ces substances : aussi bien l'euphorie du sportif dans son second souffle, que l'ivresse de l'amour lors de l'orgasme, que l'exaltation du créateur ou de l'artiste en pleine effervescence ou que l'extase du mystique en prière. Plus simplement, le plaisir et ses molécules accompagnent les actes naturels de la vie : boire, manger, respirer, déféquer, s'endormir sont des activités qui délivrent spontanément un incontestable bien-être.

À quoi sert le plaisir ? À agir, c'est-à-dire à nous inciter à accomplir des actes qui sans lui seraient une corvée. Est-ce tout ? Non, le plaisir a aussi pour but de nous permettre de vivre mieux ; cela ressort des effets physiologiques des substances sécrétées, en particulier les endomorphines : celles-ci, outre leur effet hédonique, sont également antidouleur, anti-anxiété, antistress et antidépression. Ainsi on peut dire que le plaisir a un rôle « existentiel », voire « métaphysique » : il a pour but de nous faire oublier ou surmonter notre terrible condition d'humain ; le milieu dans lequel nous sommes plongés dès notre naissance comporte en effet tant de menaces, provoque tant de stress, de désagréments et de douleurs, sans oublier les angoissantes questions que l'homme se pose quant à ses origines et sa fin, que nous ne pouvons survivre que si chaque jour, et même chaque heure, nous apporte les moyens d'adoucir ce destin. Le plaisir sous ses différentes formes et par ses diverses vertus constitue ce viatique. Le plaisir apaise l'angoisse existentielle, calme l'anxiété liée aux circonstances, anesthésie la douleur, récompense les efforts. Le plaisir n'est pas un « à côté » de la vie, c'est le moteur même de la vie. L'espoir de jouir fait vivre, l'obtention du plaisir reconduit le contrat vital. Le plaisir est à l'esprit ce que l'oxygène est au corps, sans lui la vie est impossible, c'est un calvaire qui n'a d'autre issue que la mort, spontanée ou par suicide.

Le plaisir que nous apporte l'intimité, qu'elle soit purement sensuelle ou pimentée de sexualité, est plus que légitime : indispensable. Inversement, le plaisir par les effets collatéraux des substances qu'il engendre – détente, bien-être, etc. – nous prédispose à l'intimité.

C'est pourquoi, quand la phase d'intimité comporte une séquence sexuelle, il faut veiller à ce que chacun obtienne l'optimum de plaisir, la femme, en particulier, chez qui l'acmé n'est pas toujours automatique. En amont de ce moment, l'homme s'emploiera à créer chez elle les conditions de survenue de l'orgasme. En aval, au cas où elle aurait raté l'événement, le partenaire lui offrira l'apaisement en lui caressant les zones voluptueuses avec les doigts ou la bouche. Ou en l'encourageant à se satisfaire par elle-même.

Le corps de l'intimité

Le corps de l'intimité est un corps bienheureux, épanoui, vénéré. C'est notre demeure, notre temple. Ce n'est plus le corps de l'expiation, diabolique animal condamné à la sueur et aux larmes. Ce n'est pas non plus le corps de la production, esclave contraint à travailler à mains nues ou à l'aide de machines qui, fussent-elles informatisées, l'asservissent. Non plus le corps de la consommation, cible des marchands d'objets. Non plus, enfin, le corps des apparences, otage des lobbies de la « forme » ou du sport qui, sous prétexte de l'idolâtrer, le forcent, le façonnent et le droguent. Ce culte-là est aussi irrespectueux que le mépris des clercs.

Le corps de l'intimité est celui de la sensualité, le lieu géométrique de toutes les sensations naturelles, le point de rencontre avec soi, les autres, le monde, une partie de la nature et comme tel, la porte de l'univers. La sensualité est le seul mode où le corps puisse encore exister dans une dimension humaine, être révéré, chéri. Si, dans notre monde industriel, il s'inscrit dans un environnement artificiel, en soi le corps est aujourd'hui comme il y a 100 000 ans : nu, libre, sensible. Ce corps, c'est notre point de repère au cours de notre folle équipée à travers la révolution technologique. C'est le seul espace où il n'y a pas de progrès à faire, où même il faudrait régresser : remonter au-delà de la civilisation industrielle, au-delà de la répression religieuse. Oui, il nous faudrait revenir à l'enfance du corps, retrouver sa plénitude, sa béatitude.

Chapitre 4

L'INTIMITÉ PSYCHIQUE

Ouvrir à notre partenaire notre vie intérieure, lui en offrir le contenu et, à l'inverse être ouvert à sa vie intérieure, recueillir ses offrandes, autrement dit : dire et entendre, confier et accueillir, donner et recevoir, c'est cela l'intimité. En un mot, c'est partager.

QUE DIRE ?

Ce qui nous passe par les sens : nos sensations de toutes sortes. Ce qui nous passe par le cœur : nos joies, nos plaisirs, nos désirs, notre tendresse aussi bien que nos tristesses, nos angoisses, nos pleurs, nos ressentiments, bref, nos émotions et nos humeurs. Ce qui nous passe par la tête : nos pensées, nos souhaits, nos regrets, nos souvenirs, nos rêves. Se dire pour se faire connaître, se faire comprendre ; se dire pour mettre en commun ; se dire pour composer des accords entre nos vibrations et les siennes.

Être authentique, mettre son âme à nu. C'est bien ce qui est le plus difficile. Non que l'on soit par nature dissimulateur, mais parce que l'on a peur. Peur d'être soi, peur de se révéler, peur de laisser voir en soi, peur d'être vu tel que l'on est : beau, certes, mais laid aussi, fort mais vulnérable, héroïque et lâche. Un être où s'affrontent sans cesse l'ombre et la lumière. Un être de paradoxes et de contrastes, qui au fond de lui-même ne sait jamais si le meilleur l'emportera sur le pire.

Si l'on a peur d'être vrai ou d'être découvert dans notre vérité, c'est que le risque est grand de n'être pas compris ou moins estimé, voire méprisé. Et dès lors, on peut craindre d'être moins aimé ou plus du tout aimé et donc abandonné. Cela ne serait pas supportable, cela serait même tragique. Car cela nous ramènerait à cet enfant incompris, dévalorisé, rejeté de ses parents, que nous fûmes et qui pleure encore au plus profond de nous. Cela nous renverrait aux pires moments de notre enfance. Cela rouvrirait l'archaïque blessure qui ne peut jamais complètement cicatriser.

Soyons vrais quand même, car de toute façon l'intimité révélera un jour la vérité. Et surtout, c'est de l'authenticité que vient la qualité de l'intimité. Soyons tolérants pour l'autre aussi, afin qu'il ose être lui-même et ne fuit pas l'intimité. Tolérance et humilité, voilà les deux qualités qui font une bonne intimité.

Non ! Être authentique ce n'est pas se déverser sans retenue à chaque instant, dire tout et n'importe quoi. Le flot de la conscience charrie pêle-mêle toutes sortes de matériaux – émotions, pensées, rêves, etc. Ils défilent, imprévisibles, irrépressibles, inévitables, contradictoires même ; les uns sont « honorables », d'autres « honteux », les uns sont inspirés par l'amour, d'autres par la haine. C'est ainsi que tendresse et irritation, douceur et animosité, gratitude et ressentiment, peur et confiance, attirance et répulsion, courage et lâcheté roulent dans notre cerveau. Va-t-on livrer à la seconde un instantané de ce chaos et risquer de perturber ou de blesser son (sa) partenaire, sous prétexte qu'il faut tout dire ? Va-t-on exprimer cette soudaine poussée d'agressivité pour notre partenaire ? Ou lui avouer cette pulsion de désir pour une éphémère passante ? Si nul n'est maître du flux qui cascade en son mental, un esprit sain et solide saura le filtrer et ne dire que ce qui est cohérent avec ce qu'il construit avec l'autre, avec leurs projets communs.

Ne jetez pas sans cesse vos soucis chez l'autre, il n'est pas une poubelle

Certes, vous avez le droit de lui confier vos ennuis, vos chagrins et vos souffrances, et il est légitime que vous en attendiez une écoute et du réconfort. Mais il n'est pas bon pour l'intimité que vous rabâchiez vos lamentations, surtout si vous ne faites que ça sans nourrir par ailleurs la relation d'éléments positifs et sans porter vous-même attention aux éventuelles plaintes de votre partenaire. Il est normal que celui-ci finisse par ne plus pouvoir supporter vos déversements d'énergies négatives.

Ne racontez pas à la légère vos relations passées ou actuelles avec d'autres partenaires

Vous pouvez, bien sûr, parler de votre passé sentimental, mais ne vous complaisez pas dans les turpitudes subies ou infligées, ne détaillez pas non plus vos prouesses sexuelles, ni les fabuleux voyages d'antan. Et surtout, ne radotez pas. Quant à vos relations extraconjugales présentes, tournez sept fois la langue dans votre bouche avant d'en parler. On croit faire des confidences au nom de la vérité et par honnêteté ; en réalité, nos motivations ne sont pas toujours aussi claires : nos aveux ont souvent pour but de nous soulager de nos secrets et constituent alors un moyen de nous déculpabiliser. Et tant pis si le partenaire en souffre. Du reste, il est des confessions dont le but justement est de faire souffrir l'autre pour le mettre à l'épreuve ou pour s'en venger.

Dans tous les cas, les informations confiées resteront collées à la mémoire de l'autre et les souffrances en lui provoquées s'effaceront difficilement ; les unes et les autres continueront de peser gravement sur la relation. Même si le partenaire pardonne et passe l'éponge, les ruminations de son inconscient, les ressentiments enfouis, les appréhensions tues, les suspicions insidieuses risquent de déboucher sur de désagréables surprises. Tout événement délicat risque de réactiver les anciennes souffrances et de faire surgir un conflit. Vraiment, toutes les vérités ne sont pas bonnes à dire.

Cela pourrait choquer les idéalistes pour qui on doit tout se dire. Mais eux-mêmes sauraient-ils tout entendre et tout pardonner ? Bien téméraires ceux qui pensent recevoir des confessions sans en souffrir et sans que la relation en soit abîmée. Car rares sont encore les êtres parvenus à un niveau d'amour et de conscience tel qu'ils peuvent respecter la liberté de l'autre sans douleur. Rares ceux qui se sont hissés à l'amour universel. Rares ceux qui savent véritablement *pardonner* ; j'ai dit « pardonner » et non affecter de « tourner la page ».

Conservez, précieusement, vos fantasmes pour vous seul(e)

On pense généralement que de s'échanger ses fantasmes et de les réaliser constitue le summum de l'intimité. C'est sans doute une erreur.

Les fantasmes sont faits pour relancer le désir et l'excitation érotique, et par conséquent amplifier le plaisir. Ils poussent dans notre jardin secret. Il est préférable de les réserver à notre usage interne et de ne pas les dévoiler. En effet, ce sont des productions de notre imaginaire et, quand ces images sont mises en mots, elles crèvent comme des ballons de baudruche et deviennent d'une platitude et d'une banalité affligeantes ; leur efficacité est proportionnelle à leur clandestinité. Par ailleurs, quand ces images sont révélées, la tentation est forte de les concrétiser ; or, ici, le risque est encore plus grand de voir se dégonfler leur pouvoir, voire même de tarir leur production. Comme si passer à l'acte limitait l'imaginaire : rêver est plus puissant qu'agir, la symbolique est plus efficiente que la réalisation. Enfin, il y a un autre risque à concrétiser ses fantasmes in extenso, c'est d'entrer dans une double escalade :

— d'une part, escalade du besoin : à la longue, il n'est plus possible de se passer de fantasme, il faut y recourir systématiquement ; ils sont même devenus un but en soi. Alors, paradoxalement, ce qu'on a fait réalité nous fait quitter la réalité ; la partenaire n'est plus que le support des fantasmes, a fortiori si on lui fait jouer le rôle d'une autre personne. Ici, on peut se poser la question : amour, es-tu là ? Et se demander où en est la relation amoureuse avec un(e) partenaire dont il faut toujours subtiliser la présence pour jouir.

— d'autre part, l'escalade du « degré » : il faut, pour obtenir l'excitation, des fantasmes de plus en plus forts. On commence par des fantasmes doux ; mais, nous l'avons vu, mis en mots et en actes, ils perdent de leur efficacité et à la longue déçoivent. Alors, peu à peu, on pousse l'audace jusqu'à atteindre un jour des fantasmes « hard », ceux qui mettent en scène la violence, les larmes, le sang, voire la mort – virtuelle, quoique... –, ici la ligne blanche est franchie ; on passe alors du plaisir à la souffrance et à l'angoisse. Ainsi l'escalade du toujours plus, où les séquences appellent des séquences plus fortes, aboutit à la perte de l'équilibre psychique.

On peut du reste s'interroger sur les motivations de ceux qui ne marchent qu'aux fantasmes, veulent absolument communiquer les leurs et connaître ceux de leur partenaire. Sans doute faut-il y voir un signe de faiblesse de la personnalité.

Ces réserves faites, il faut reconnaître aux fantasmes leur rôle dans l'intimité. En exaltant le désir à l'intérieur de chaque partenaire, en amplifiant l'attirance réciproque, ils contribuent à instaurer une ambiance intime. Aussi ne faut-il pas les dénier, non plus les vivre en strict égoïsme, en séparation absolue ou pire, en trahison, comme une sorte de masturbation à deux où l'autre ne serait qu'un support.

Le juste positionnement est :

1. que chacun reconnaisse qu'il a – ou n'a pas – des fantasmes ;

2. que chacun reconnaisse que les fantasmes de son partenaire lui profitent indirectement, en excitant le désir et le sexe du fantasmant ;

3. que tous deux, par un choix délibéré, conviennent de ne pas livrer leur imaginaire, afin d'en préserver l'efficience. Tous les auteurs confirment qu'il est préférable de se contenter de jouir en soi du pouvoir aphrodisiaque des images. Cela suffit à créer une complicité et à élargir l'intimité. Ainsi, même vécus en secret, les fantasmes créent un lien. Si toutefois l'un des partenaires trouve qu'il lui serait bénéfique de dire son imagerie ou de connaître celle de l'autre, on peut choisir une voie médiane : échanger ses scénarios en dehors de l'acte sexuel.

Enfin, si les fantasmes sexuels sont utiles, ils ne sont pas indispensables et moins encore obligatoires. Quand l'amour est puissant et que les amants ont un certain niveau de conscience, les fantasmes sont inutiles ou purement d'ordre affectif, esthétique ou spirituel. « La félicité vient de la seule vision du corps de l'adoré(e), de la seule idée du don qu'elle (il) fait, de l'intensité des sentiments qu'on lui porte, de la conviction d'aller à la rencontre de sa conscience, de la certitude que par elle – lui – on célèbre la vie [6]. »

N'abusez pas du verbe aimer

« Je t'aime » est un cadeau trop précieux pour être distribué à la volée. « Je t'aime » quand il tombe en averse risque de submerger l'autre. « Je t'aime » est un aveu si grave qu'il vous livre entre les mains de l'autre. Inversement, « Je t'aime » est aussi une demande dont il ne faut pas surcharger l'autre. Parfois les « Je t'aime » que l'on ne dit pas servent l'amour.

Silence et intimité

Il arrive que les mots soient impuissants : ce qu'ils disent est réducteur, insuffisant, voire traître. Il arrive aussi qu'ils soient superflus : tout se dit sans le dire. Alors il faut savoir se taire.

Le propre de l'intimité est d'alterner la parole et le silence, avec quand même une prééminence des pauses. Silence à l'extérieur, hormis éventuellement une musique propice à la détente. Silence entre les êtres. Silence, parfois, en soi. Le silence est la clef de la vie intérieure ; il permet de mieux percevoir ce qui se passe en soi, dans son corps, dans sa conscience : ses sensations, ses émotions profondes, sa voix subconsciente. Ceux qui pratiquent la méditation et les religieux le savent bien. Or, plus chaque partenaire pourra contacter sa vie intérieure, mieux il pourra la confier à l'autre et s'ouvrir à celle de l'autre, l'accueillir, la ressentir.

Le renoncement au verbe, de plus, permet à d'autres langages de se manifester et d'être entendus :

— **langages verbaux rudimentaires** : onomatopées, murmures, exclamations, rires, cris.

— **langages non verbaux corporels** : les mouvements du visage (les regards, les mimiques), les mouvements du corps (ses attitudes, ses gestes, ses tressaillements, sa tension, son relâchement), les modifications de la peau (ses frémissements, sa chaleur ou sa froideur, sa moiteur, son horripilation), le rythme respiratoire (les pauses, les soupirs), les battements du cœur.

— **langages non verbaux, non tangibles** : sans doute le corps, le cerveau, l'âme émettent-ils des rayonnements, des ondes, des vibrations – que la science n'a pu encore identifier – mais dont les effets sont indéniables : échanges d'énergie (on remarque que pendant les silences l'énergie s'accroît), et surtout échanges de conscience. La transmission de pensée, ou télépathie, comme la transfusion d'émotions, ou empathie, sont des faits d'évidence. Dans l'intimité, le silence, joint à la proximité physique et psychique, favorise l'émission et la réception des vibrations et facilite leur harmonisation.

Il faut se donner le droit d'être silencieux, il ne faut pas se croire obligé de parler. Si l'on ne peut s'empêcher de causer, c'est peut-être pour fuir sa voix intérieure ou celle de l'autre.

Mais il peut arriver que le silence soit lourd. Par exemple, quand les émotions sont trop fortes, difficiles à soutenir, alors la parole est bienvenue, elle soulage les êtres et allège l'atmosphère ; ou quand les idées sont confuses ou complexes, alors la parole aide à les démêler, à les préciser.

Des différents modes d'intimité psychique

L'intimité psychique a elle-même plusieurs modes. Le plus courant consiste à échanger nos états d'âme, nos émotions de toutes sortes, nos idées et nos aspirations. Les sujets concernent aussi bien le passé que la sexualité, la famille, la philosophie, les arts, que sais-je. Ce qui différencie l'échange intime de la conversation ordinaire, c'est le ton, la profondeur, l'authenticité, l'attention, la tolérance. Chacun est au plus près de son propre noyau et du noyau de l'autre. On se dit, on ne se démontre plus. On écoute et on entend.

Il y a aussi **le mode esthétique** qui consiste à partager une même émotion qu'a fait naître la beauté : une œuvre d'art (un tableau, une sculpture, un château, un sanctuaire...), ou les splendeurs de la nature (lever ou coucher de soleil, nuit constellée d'étoiles, paysage au printemps, cimes des montagnes, forêt en automne, etc.). Il se produit une interaction en triangle – vous, votre partenaire et la beauté – qui porte à un haut niveau de communion, englobant les êtres et le monde. Sans doute cette émotion l'auriez-vous ressentie seul(e), mais la présence de l'aimé(e) la décuple, la rehausse. C'est que l'humain est un être de partage – même le pain est meilleur quand on le rompt ensemble –, c'est aussi que la beauté s'adresse à notre part divine, celle qui nous incite au dépassement de soi, à l'expansion de soi et à l'union intime entre nous, notre partenaire et l'univers.

Il y a enfin **le mode spirituel**. Il consiste à trouver dans l'intimité un supplément d'âme. Déjà par la beauté partagée nous étions aux marches du religieux et du divin. L'intimité, en approfondissant l'amour, nous y fait progresser. Religieux et divin est en nous ce qui dépasse notre ego et ses productions – l'égoïsme, les pulsions d'appropriation, les pulsions agressives, la pulsion de mort. Religieux et divin est en nous ce qui nous « expanse », nous ouvre à l'autre, nous pousse vers l'autre, nous relie à l'autre, nous fait aimer l'autre. Religieux et divin est en nous ce qui nous fait aimer toutes les formes de vie et nous relie à elles – celle qui anime les animaux comme celle qui parcourt les végétaux – et à toutes les sortes de matières – l'eau, la glèbe, le rocher, notre terre, les planètes, les étoiles –, en un mot, à l'univers. Religieux et divin, ce qui nous appelle au respect de nous-même, de l'autre, de toutes choses. Et ce qui nous porte à percevoir les souffrances de l'autre et à tenter de les apaiser. Et ce qui nous porte à nous réjouir de ses bonheurs. Et finalement, ce qui instaure en nous une certaine félicité, une certaine paix. C'est en nous ouvrant à l'autre et au monde que l'amour nous révèle le religieux et le divin.

La spiritualité, pour être féconde, doit se concrétiser, se faire démarche. Il s'agit de passer des états d'âme à un état de l'âme, de l'émotionnel à la volonté, des aspirations à l'action. Cette spiritualité-là est une discipline, elle commence par un travail sur soi, c'est-à-dire sur son ego :

— **pour devenir véritablement créateur de sa vie**, et non plus victime des autres et des événements. C'est en donnant un sens aux épreuves, en y voyant une chance de se transformer, de se parfaire, qu'on y arrive ;

— **pour devenir pleinement** ce que l'on est profondément – « Deviens ce que tu es ». C'est en développant ses talents, en dénouant ses entraves qu'on y parvient. Reste à prendre conscience de ce pour quoi on est fait et à le réaliser ;

— **pour devenir cet être d'amour inconditionnel** qui respecte la liberté et la nature de l'autre ;

— **pour devenir cet amant** qui croit que le couple est une voie initiatique où chacun, en avançant, participe à l'avènement de l'autre.

L'intimité est bien le lieu qui permet cette dimension de l'amour, elle en a tous les atouts : les échanges privilégiés, les pauses de silence, l'intériorité, les méditations communes, le bain de tendresse, etc. Certains y ajoutent la prière.

Chapitre 5

L'INTIMITÉ AU FIL DU TEMPS

Au fil des ans, l'intimité change. À chaque phase de l'amour, elle se fait différente.

L'ÉTAT AMOUREUX

Ici l'intimité est intense et occupe le plus possible du temps libre. Les aimants vivent dans un état de fusion quasi permanente. Ils sont inséparables, ils font tout ensemble, les repas, les courses, les sorties.

L'intimité physique

Elle est étroite et fervente. Les aimants n'ont de cesse d'être proches, d'être en contact, quoi qu'ils fassent. Quand ils mangent, ils restent collés l'un à l'autre, quand ils marchent, ils se donnent la main ou se prennent par la taille. Un désir aussi brûlant que neuf les plaque l'un près de l'autre. Une envie toute fraîche de se dire et de se connaître les maintient l'un contre l'autre.

L'intimité psychique

Elle est également intense. Entre les aimants, les échanges sont denses. La puissance des nouvelles vibrations émotionnelles et sexuelles délie les langues et ouvre les oreilles. Et comme chacun est un continent vierge pour l'autre, il y a beaucoup à dire et à entendre : le passé encore inconnu, le présent éblouissant et l'immense page blanche de l'avenir où peuvent s'inscrire toutes sortes de projets. Ayant retrouvé le goût de se dire et le bonheur d'être écouté, on va même, dans l'enthousiasme, jusqu'à confier des choses – des secrets – qu'on n'a jamais dits à personne. Gage de confiance et geste de récompense pour celle (celui) qui vous aime tant.

Comme ils font tout ensemble, ils découvrent tout ensemble, ou redécouvrent à deux ce que chacun connaissait et aimait auparavant. Le partage est absolu et allègre. D'autant que chacun ne pense qu'à faire plaisir à l'autre : il est attentionné, prévenant même, il se plie à ses goûts, entre dans ses émotions, et se range même à ses idées. C'est plus que s'adapter, ils s'adoptent. Il s'agit, en allant au-devant de l'autre, au-dedans de l'autre, de mettre en résonance les vibrations.

Ainsi l'état amoureux opère un véritable miracle, dont le résultat est cette intimité physique et psychique si foisonnante dans les échanges, si extrême dans l'union, qu'on pourrait croire à la perfection. En plus, au-delà de ce bonheur humain, perce une félicité d'essence métaphysique, car cette fusion c'est la fin de la dualité, de l'état de séparation entre les êtres ; c'est l'unité retrouvée.

Par ailleurs, l'état amoureux hisse les consciences à un niveau fabuleux. C'est une réelle métamorphose qu'il provoque chez les êtres, ou mieux une renaissance, ce qui les porte à accomplir des prodiges. Comme illuminés par une sorte de transcendance, ils arrivent à se dépasser, à faire triompher le meilleur en eux : les voilà plus ouverts, plus réceptifs et plus généreux non seulement envers leur aimé(e), mais aussi envers le monde ; les voilà qui décident de pousser plus avant la réalisation de leurs talents. Comme frappés par une force cosmique, ils se mettent à vivre intensément, leur élan vital et leurs énergies sont alors décuplés. Comme touchés par la grâce, ils voient leur sensibilité s'aiguiser et s'élargir. Comme emportés par une forme d'absolu, ils se sentent capables d'aimer envers et contre tout et pour l'éternité.

Au total, leur joie de vivre et leur bonheur sont immenses et confinent, par moments, à l'euphorie. Ils ont de quoi bénir l'état amoureux.

Cependant, si cet état porte en lui les potentialités d'une intimité parfaite, il porte aussi des germes destructeurs qui, peu à peu, vont perturber la relation et en quelques années – de un à sept ans – mener le couple à une crise.

La crise

Le temps grignotant les beaux sentiments de l'état de grâce et la vie quotidienne multipliant les épreuves de vérité, la vraie personnalité de chacun réapparaît et se réaffirme : on redevient soi-même et on voit l'autre tel qu'il est. On constate alors qu'il n'est pas ce que l'on croyait, il est même tout autre. En tout cas, il n'est pas comme nous, il est même très différent. Il s'ensuit une cascade de désillusions, de déceptions et d'oppositions qui risquent à la longue de ruiner l'intimité.

S'ils veulent sauver leur intimité et, au-delà, leur couple, il faut que les aimants comprennent ce qui leur arrive, puis prennent la décision de passer à un autre stade de l'amour, autrement dit passer de l'état amoureux au véritable amour.

D'abord comprendre. Le rêve de tout être de vivre une grande histoire d'amour et l'exaltation de l'état amoureux ont conduit les aimants dans trois impasses : l'idéalisation, l'identification et la fusion absolue.

L'idéalisation

« Tu es la plus belle... », « Je suis formidable... », « L'amour c'est merveilleux... ». Ce qu'on idéalise, c'est à la fois la – le – partenaire, soi-même et l'amour. Pour cela chacun s'adonne à un jeu de projections et d'embellissements qui transforme les partenaires en personnages factices : chacun voit l'autre non point tel qu'il est, mais tel qu'il voudrait qu'il soit, tel qu'il a rêvé qu'une amoureuse – un amoureux – soit. Autrement dit, il le voit tel qu'il lui convient, quitte à scotomiser les traits qui ne lui conviennent pas. Ce qu'il aime, c'est donc une projection de ses fantasmes sur la personne, non la personne véritable.

Inversement, pour plaire à l'autre, chacun va se montrer sous l'aspect qu'il croit lui agréer ; chacun va donc modeler sa propre personnalité pour se conformer aux désirs et aux besoins de l'autre, renforçant les traits qui semblent le satisfaire, estompant ou masquant ceux qui risquent de lui déplaire. Comme il est difficile de connaître vraiment les désirs et les besoins profonds de l'autre, on lui prête nos propres attentes, ce qui achève de fausser le jeu.

Il faut également savoir qu'en idéalisant sa – son – partenaire, on s'accorde une autopromotion : si une femme – un homme – aussi « bien » qu'elle – que lui – s'intéresse à nous, c'est que nous sommes vraiment « quelqu'un de bien » ! Narcisse sourit à son reflet et Marguerite rit de plus belle en son miroir.

L'intimité qui s'est établie entre ces fantômes et ces masques est donc artificielle. Quand tomberont les apparences et que sur la scène surgiront les êtres réels, l'intimité risque de devenir le champ clos de leurs querelles et conflits, et d'en périr.

L'identification

« Je suis toi, tu es moi, on est pareils. » Cette volonté d'être semblable à elle – à lui – se fonde sur le mythe des « âmes sœurs », selon lequel il faut, pour atteindre le grand amour, se ressembler.

Sans doute y a-t-il à la base de la rencontre, en vertu du « qui se ressemble s'assemble », des similitudes – des goûts, des sensibilités, des idées, des intérêts voisins. Dans l'état amoureux, on va plus loin et on s'efforce de se rendre réellement pareil à l'autre.

Alors, on copie ses attitudes, ses pensées, son langage, on fait siennes ses émotions, ses pensées, on adopte ses pôles d'intérêt, on satisfait ses moindres demandes, on les prévient même. Inversement, on gomme ce qui nous différencie trop d'elle – de lui – limitant nos expressions personnelles, renonçant à nos attentes et perdant de vue nos propres plaisirs. Notez qu'on copie surtout ce que l'on aime de soi en l'autre, c'est-à-dire nos projections sur lui – Narcisse ici aussi tire les ficelles. De surcroît, à force de vivre ensemble, les partenaires, spontanément, finissent par se ressembler. Le résultat est que l'autre devient le double de notre moi, notre jumeau, notre clone.

Que devient l'intimité quand on la joue avec sa réplique ? Elle stagne, elle s'assèche, elle se meurt. L'intimité est faite de mouvements de l'un à l'autre et réciproquement, mouvements déterminés par l'excitation sexuelle, les sentiments, le besoin de connaître et de se faire connaître, le besoin de se dire et d'entendre, en d'autres termes le désir au sens le plus large est le véritable moteur des échanges. Mais lorsque le vis-à-vis est devenu semblable à soi, on ne peut plus le désirer. Le désir suppose une différence : l'attrait naît d'une dissymétrie, la curiosité naît de l'inconnu et de l'imaginé, les courants – en particulier les courants d'énergie – naissent d'une différence de niveaux. Inversement, l'identique et le trop connu tuent le désir. Peut-on avoir envie de l'autre quand il est si ressemblant ? Que peut-on découvrir chez l'autre quand il n'est que notre copie ? Faute de dénivelé, l'eau vite stagne et se fait mer morte.

La relation entre semblables est tellement étale et les partenaires déshabités, que l'un d'entre eux finit par aller chercher hors du couple gémellaire un être différent, un être qui ne soit pas elle – lui – et pour qui elle – il – serait autre. En un mot : un étranger.

La fusion absolue

« Toi et moi on ne fait qu'un. » La fusion absolue, c'est-à-dire la fusion poussée à l'extrême et vécue à plein temps, est la troisième impasse de l'état amoureux. Dans l'identification, on était encore deux, il y avait encore altérité ; dans la fusion, on n'est plus qu'un. Il n'y a plus que l'unité : 1 + 1 = 1. Cela réduit encore plus radicalement toutes les différences et donc toutes possibilités de désir. Ici aussi l'intimité finira par se tarir.

La fusion conduit à l'aliénation

Au départ l'aliénation est, le plus souvent, contractuelle et heureuse. En vertu d'un accord tacite, chacun accepte, souhaite même, que l'autre ait un privilège sur lui, qu'il ait un droit de regard sur lui – savoir ce qu'il pense, ce qu'il fait – voire un droit de propriété – « Je t'appartiens » disent les amoureux, la fidélité va de soi, elle n'est ni une résolution prise, ni une obligation, décrétée ; chacun a remis sa liberté à l'autre. Mais il est des cas où l'aliénation est imposée par un partenaire possessif ou tyrannique. De toute façon, dans les deux cas, les partenaires perdent leur personnalité ; ils ne vivent que pour l'autre, par l'autre, à travers l'autre.

La fusion mène à la dépendance

La dépendance est ce besoin impérieux d'être aimé sans défaillance et sans absence, faute de quoi on est malade, on dépérit, on ne vit plus, on n'existe plus. Le dépendant est plus dans le besoin d'être aimé que dans le don d'amour, et son besoin est insatiable ; c'est un panier sans fond qui exige sans cesse d'être rempli ; tout se passe comme s'il ne s'aimait pas assez ou pas du tout et demandait à l'autre de l'aimer à sa place. Ses revendications risquent d'épuiser et d'étouffer le partenaire.

La fusion mène à la possessivité

Le partenaire fournisseur d'amour doit nous appartenir et à nous seul. À force de l'avoir à l'intérieur de nous, on en a fait notre propriété.

La fusion peut être une régression

La fusion absolue relève de la fusion infantile du premier âge ; c'est une forme de régression. Nous y reviendrons.

Pour toutes ces raisons, la fusion absolue qu'on croirait être le summum de l'intimité en est le tombeau. Pour que vive l'intimité, il faut deux individualités distinctes, fortes et indépendantes, entre lesquelles coulent la sève du désir et le flux de la vie.

Que les partenaires le veuillent ou non, l'évolution les conduira à remettre en cause leur positionnement. De l'idéalisation, ils devront passer à la lucidité, de l'identification à la différenciation et de la fusion à l'autonomie. Cela ne se fera pas sans douleur et remises en cause. L'ancienne intimité tremblera sur ses bases. Ce sera à nous d'en inventer une autre.

À ce stade critique, la résurgence des véritables caractères va révéler les divergences de goûts, de pensées, d'habitudes et entraîner des oppositions, des conflits, des ressentiments. Or rien n'est pire pour l'intimité que l'hostilité, particulièrement l'hostilité rentrée qui mijote en rancœurs ; celle-là clôt les bouches, rétracte les bras et ferme les cœurs : pas d'intimité possible avant que l'abcès n'ait été incisé ! Par contre l'hostilité éclatée – la dispute – est encore, jusqu'à un certain degré, une forme de communication ; elle peut éclairer la relation et rapprocher les êtres ; d'autant que la tension qui l'anime demande bientôt à s'apaiser, ce qui conduit à la réconciliation ; sans doute était-ce pour elle que l'affrontement fut provoqué.

À ce stade, également, toutes sortes de peurs vont surgir :

— **Peur-désorientation** devant cet(te) inconnu(e) qui se découvre et qu'on n'avait pas prévu : qui est-elle (il) vraiment ? Pourrai-je la – le – comprendre ? Pourra-t-elle – il – me comprendre ? Sommes-nous compatibles ? Pouvons-nous encore nous aimer ? Autant de questions qui montrent que les points de repère sont volatilisés, les êtres déstabilisés, la relation brouillée.

— **Peur-angoisse** devant l'avenir désormais imprévisible. Cette femme (cet homme) qui devient une autre (un autre), en redevenant elle-même (lui-même), prend ses distances, s'autonomise. Jusqu'où s'éloignera-t-elle (il) ? Et si elle (il) m'abandonnait ? Ici, la peur confine à la panique. La perte de visibilité ou pire, la disparition des projets communs, autres points de repère, contribuent également à la déstabilisation.

— **Peur-souffrance** : lancinements des manques affectifs et des frustrations sexuelles, plaie des phrases blessantes, voire assassines, reçue au cours des confrontations, et surtout lacération de l'ego qui se fustige : « Si elle (il) s'écarte, c'est que je ne suis pas à la hauteur ; je suis donc disqualifié(e) » ; et de douter de notre valeur, de nos valeurs ; et de nous mésestimer.

Si toutes ces peurs, toutes ces douleurs prennent une telle ampleur, c'est qu'elles réveillent des blessures d'enfance, celles-là mêmes ressenties quand nos parents, notre mère en particulier, ne répondaient pas à nos besoins d'amour et/ou de valorisation, quand ils refusaient le câlin attendu, le compliment souhaité, ou pire quand ils nous détestaient ou nous accusaient, ou pire encore quand ils nous quittaient : pour une heure, soit !, mais pour un jour, mais pour toujours... En l'occurrence, la (le) partenaire – en réalité la situation – en jouant à son insu un faux remake, rouvre une plaie jamais cicatrisée. La fusion absolue nous avait offert les délices de la fusion enfantine ; la défusion nous replonge dans les affres de l'arrachement à la mère.

Lourd héritage pour l'homme que d'avoir appris l'amour absolu dans les bras d'une femme-mère ! Que faire de cette mémoire ? Que faire de cette femme en lui ? Que faire de cet enfant en lui ? Faut-il tuer la femme-mère en lui comme le font les *marines* ? Faut-il plutôt tuer l'enfant comme le faisaient, par des rites, les tribus primitives au cours d'épisodes initiatiques ?

Lourd héritage aussi pour la femme d'avoir été la mère ! Face à l'homme, comment distinguer dans celui qui réclame, celui qui est l'enfant et celui qui est l'adulte ? Et comment discerner en elle-même celle qui materne l'enfant et celle qui chérit l'adulte ? Sans oublier qu'elle-même est enfant et adulte... La tendresse, l'humaine tendresse, si elle n'a pas d'âge, a selon les temps de subtiles nuances.

LA CONSTRUCTION DU VÉRITABLE AMOUR

La crise est l'occasion, la chance même, d'accéder à l'amour véritable. C'est du reste en lui donnant ce sens qu'elle sera moins douloureuse.

L'énergie de cette transformation sera puisée dans les réserves colossales de l'état amoureux. Le feu nécessaire à cette alchimie, c'est au cœur de ce cratère qu'on le trouvera. Autrement dit, le capital d'amour constitué à cette période, même s'il fut mal utilisé, est fabuleux et il nous servira à construire une autre forme de relation.

Sortir de l'idéalisation

Nous avons vu qu'au cours du stade critique, chacun sortait des images et tendait à reprendre sa vraie personnalité. Il faut non seulement accepter ce mouvement, mais l'encourager. Du courage, il en faudra : courage d'être soi-même, de s'affirmer dans son authenticité au risque de déplaire et même de n'être plus agréé, voire même abandonné. Courage de tenir bon alors que l'autre n'a de cesse de nous tirer en arrière pour revenir à ce qui, dans le passé, lui convenait. Courage d'accepter l'autre dans sa vérité et, mieux, de le pousser à s'affirmer. En un mot : courage d'accepter la réalité.

On passe alors de l'idéalisation à la transformation : nous aimions un être fictif, construit à partir de nos mythes et de nos besoins personnels, exagérant ses qualités et estompant ses défauts ; désormais nous aimerons l'être tel qu'il est, y compris avec ses défauts – mais perfectible quand même. L'amour vrai suppose deux êtres unis.

La crise était la découverte de ce qui était impossible. Cette nouvelle phase est l'exploration du possible. L'avenir du couple dépend de sa capacité à composer avec la réalité ; s'il y arrive, il durera et l'intimité s'approfondira.

Sortir de l'identification

Il faut renoncer à la ressemblance et accepter – et même bénir – les dissemblances qui apparaissent. Nous l'avons vu également, ce sont ces différences qui créent l'attraction, la curiosité, le désir ; ce sont elles qui nourrissent les conversations, les interrogations, les confidences ; elles qui engendrent la richesse des échanges entre les partenaires. Alors cultivons-les. Redevenons d'abord pleinement nous-mêmes, puis reprenons notre évolution en fonction de nos propres aspirations et de nos dons personnels. Réapproprions-nous notre identité et développons-la. Bref, soyons à nouveau un étranger pour l'autre. Le flux de l'amour circulera et s'amplifiera d'autant plus que les points de vue et les niveaux seront distincts.

Pour redevenir soi-même, il faut se recentrer sur soi – c'est une sorte d'égoïsme bien légitime – : s'occuper de soi, se concentrer sur ses propres sensations, se préoccuper de son propre bien-être, avoir son espace à soi, du temps à soi, des activités personnelles. Bref, il faut développer l'intimité avec soi-même. Nous en reparlerons au chapitre 11.

Sortir de la fusion absolue et conquérir son autonomie

Il faut repasser du « nous » permanent au « je ». Le « nous », nous l'avons vu, mène à l'aliénation, à la dépendance et à la possessivité. La fusion conduit à la confusion. Se resituer dans le « je », c'est redevenir une entité distincte, pleine et autonome et dès lors se donner les moyens d'épanouir sa personnalité. Et, répétons-le, plus chacun des partenaires sera distinct et épanoui, plus l'intérêt de l'autre se maintiendra et le désir circulera. Une telle relation sera vraie, riche et solide. La défusion ne doit pas être un drame, mais une autre naissance.

L'autonomie va remplacer la soumission et s'opposer à la possessivité. Pour la conquérir ou la reconquérir, voici ce qu'il faut faire. Ne plus vivre que pour l'autre et par l'autre, mais vivre aussi pour soi et par soi. Ne plus dépendre de l'autre pour exister, être plein, être heureux, avoir des projets, se réaliser. Et se donner les moyens de l'autonomie : du temps pour soi, un espace à soi – concrètement une pièce pour soi seul – une activité et des recherches personnelles. Bien sûr, il faudra que chacun respecte l'autonomie de l'autre. Faire des choses pour soi sans l'autre, ce n'est pas le faire contre l'autre.

Autonomie ne veut pas dire indépendance totale et simple coexistence. C'est une indépendance dans l'interdépendance. C'est « être solitaire et solidaire », écrit Paule Salomon[7]. Les aimants autonomes sont toujours profondément reliés et ils continuent à partager beaucoup : ils ont des activités communes et des projets communs, ils réalisent des co-créations. Ils ont bien sûr des séquences d'intimité physique et psychique, qui du reste sont plus profondes et plus fécondes. Ils ont même des moments de fusion. Mais ici la fusion n'est plus absolue – permanente et prégnante –, elle se vit par morceaux choisis où l'on entre librement, où l'on partage intensément et dont on sort sans nostalgie, léger et joyeux. Ici on ne retient du fusionnel que le meilleur.

Sortir du besoin lancinant d'être aimé

Trop souvent on confond aimer et besoin d'être aimé et, quand on dit « Je t'aime », on pense « Aime-moi » ou « J'ai besoin de toi ». Ce besoin d'être aimé est bien humain ; il signifie aussi : « J'ai besoin d'être reconnu et rassuré sur ma propre valeur ». Toutefois, il y a des êtres dont la vie est une perpétuelle quête d'amour, c'est comme si leur sébile était trouée : on a beau y mettre des mots et des gestes d'amour, elle n'est jamais remplie et le mendiant jamais content. Ce comportement perturbe l'intimité : celui qui réclame n'étant jamais satisfait, celui qui donne finit par se fatiguer. En effet, ce que réclame le demandeur c'est, en réalité, une transfusion d'énergie.

Il arrive que les deux partenaires appartiennent à la catégorie des demandeurs ; dans ce cas de figure, aucun des deux ne peut entendre les demandes de l'autre, tout occupé qu'il est à écouter son propre manque et à formuler sa plainte. Dans ces scènes de demandeurs demandés, les échanges s'enlisent.

Dans tous les cas, les acteurs empêtrés dans leur insatisfaction et leur sentimentalité ne sont plus disponibles pour d'autres partages : ceux de leurs richesses intérieures, ceux de la richesse du monde.

Pour sortir de cette situation, il y a deux issues :

S'aimer et s'estimer soi-même

Si l'on s'aime vraiment, on n'aura plus besoin de demander à l'autre de nous aimer à notre place, et de remplir notre panier percé. Et si l'on s'estime, on n'aura plus besoin de lui demander de nous rassurer et de rapiécer, par ses compliments, nos haillons.

Pour s'aimer et s'estimer, il faut que nous développions l'intimité avec nous-mêmes – nous verrons comment au chapitre 11. Ainsi l'on voit que la condition d'une bonne intimité avec son partenaire est d'avoir une bonne intimité avec soi-même.

Accéder à l'amour véritable

Aimer véritablement, c'est essentiellement se situer dans l'amour-don et pour cela dépasser les limites de son ego, s'élargir, s'élever. Aimer véritablement, c'est aider l'autre à s'épanouir. Et c'est respecter sa liberté – l'amour véritable ne connaît pas la possessivité. Nous y reviendrons au chapitre 8.

Établir un vrai dialogue

Chérir la relation

Faire un mariage d'amour, qu'y a-t-il de plus beau ? Mais qu'y a-t-il aussi de plus fragile ? Car, hélas, les sentiments s'usent... Alors, quand ils auront atteint un niveau plus modeste, qu'est-ce qui va maintenir ensemble les deux partenaires ? Le plus souvent, ce seront les contraintes extérieures : les croyances, les enfants, les intérêts (les biens, l'argent, etc.), et aussi, même de nos jours, la peur des jugements ou les menaces du conjoint. Ce qui n'assure pas la qualité du couple, son « agréabilité ».

En vérité, ce qui va permettre de demeurer ensemble de façon vivante, féconde et agréable, c'est la relation : c'est de pouvoir se dire et être entendu et compris, pouvoir se dire et pouvoir agir, sans être jugé, rabaissé, rejeté ; c'est aussi l'assurance d'être conseillé et aidé quand c'est nécessaire. Et c'est échanger de la richesse. C'est respecter la liberté de l'autre. Cette relation, c'est comme une troisième personne : il y a toi, il y a moi et il y a la relation : 1 + 1 = 3. C'est un processus vivant ; il faut y être attentif, la soigner, la chérir, écrit Jacques Salomé[8].

Apprendre à communiquer

Savoir communiquer est la base d'une bonne relation et le gage d'une vie commune harmonieuse. Nous en développerons les règles au chapitre 8.

*
* *

Dans cette troisième phase de l'amour, lorsqu'on aura réussi à construire un nouveau couple, l'intimité atteindra une autre dimension. Elle sera la création d'êtres réels et authentiques, riches et différents, d'êtres qui savent communiquer, d'êtres qui peuvent se dépasser. Ce ne seront plus des amoureux exaltés, éternellement collés l'un à l'autre, mais des aimants qui décident de leurs moments d'intimité.

On voit qu'au fil des ans, l'intimité peut s'épurer et s'approfondir. La durée d'une relation peut permettre d'améliorer l'intimité et inversement une intimité de qualité favorise la durée du couple.

Chapitre 6

LES RACINES DE L'INTIMITÉ

D'où nous vient, à nous les humains, ce goût de l'intimité ? D'où nous vient ce besoin de nous approcher de l'autre, de s'accoler à sa peau, de l'étreindre, de le connaître, de le pénétrer, corps et âme ? Qu'est-ce qui nous pousse à rejoindre sa surface, puis à la traverser pour se fondre en lui et avec lui réaliser un tout ? Qu'y a-t-il derrière ce besoin de fusion et d'unité ?

LES RACINES MYTHIQUES

Le mythe de l'androgyne

À l'origine, selon un mythe d'Aristophane rapporté par Platon dans *Le Banquet*, il n'y avait qu'un seul sexe, l'être étant à la fois homme et femme. Il portait les deux sexes – le féminin et le masculin –, comme il portait deux têtes, quatre bras et quatre jambes. Il était très heureux et très puissant. Jaloux, les dieux demandèrent à Zeus de le couper en deux. Ainsi naquirent deux êtres séparés : la femme et l'homme, pourvus chacun d'un seul sexe. Depuis lors, chaque moitié ne cesse de pleurer l'unité perdue et rêve de la retrouver. Le sentiment amoureux est une aspiration à réaliser ce rêve, l'intimité, et a fortiori l'acte sexuel, une tentative extrême de le concrétiser.

Un mythe certes, et pourtant : « Pourquoi chercherions-nous si nous ne savions pas déjà ce que nous cherchons[7] ? »

Le récit de la Genèse

La façon dont Dieu, selon la Genèse, créa l'homme et la femme pourrait expliquer le besoin d'intimité – que l'on prenne cela pour la vérité ou comme une légende. Le créateur a d'abord façonné une unité, un être qu'il appela Adam. Puis il le dédoubla pour créer une dualité – Adam et Ève (verset 2-21). Pourquoi ne pas imaginer qu'en chacun de leurs descendants persiste une nostalgie de l'unité ? D'autant que le créateur incite aussitôt les êtres à se joindre : « C'est pourquoi l'homme quittera son père et sa mère et il devra s'attacher à sa femme et ils devront devenir une seule chair. » (Verset 2-24.) Du reste, il semble qu'en Éden, Adam et Ève, s'ils étaient distincts, n'étaient pas séparés : « Or, tous deux étaient nus, l'homme et sa femme, mais ils n'en prenaient pas honte. » (Verset 2-25.)

Sans doute, à cet âge d'or, le bonheur ce n'était pas seulement de vivre sans labeur, sans souffrance et sans peur dans un jardin baigné de soleil, regorgeant de fruits, bruissant de fontaines et égayé de chants d'oiseaux, sans doute ce bonheur c'était, bien que matériellement distincts, de vivre en étroite communion et de se sentir un tout ? Car, a contrario, le malheur qui s'abat sur eux, aussitôt mangé le fruit défendu, consiste à s'apercevoir qu'ils sont désormais séparés : « Alors leurs yeux à tous deux s'ouvrirent et ils commencèrent à se rendre compte qu'ils étaient nus. Ils cousirent des feuilles de figuier et se firent des pagnes. » (Verset 3-7.) Et à Dieu qui les appelait, Adam répondit : « J'ai eu peur parce que j'étais nu et ainsi je me suis caché. » (Verset 3-10.)

C'est de voir leurs âmes désunies, leurs corps écartés, c'est d'être devenus des étrangers qu'ils ont honte. Comment ne pas penser que dès lors les habitera le sentiment d'une absolue séparation et les hantera la mémoire des temps d'union ? Alors ce goût de l'intimité ne serait-il pas lié au souvenir inconscient de ces temps immémoriaux ? Et l'amour, une tentative de jeter un pont sur la scission originelle ?

Les racines océaniques

Au début était la mer. Ensuite il y eut la vie. Un jour une infinie fraction de mer s'entoura d'une membrane : ce fut la première cellule. Puis il y en eut deux, puis dix, puis cent mille. D'abord elles restèrent collées, informe plancton au gré des courants. Puis elles prirent la forme d'un poisson. Plus tard le poisson accoucha d'un reptile. Plus tard encore le reptile sortit des flots. Ce n'est que très récemment que le reptile enfanta un mammifère. Et, aujourd'hui, nous voilà les deux pieds plantés sur terre et la tête en l'air.

Cependant, tous les animaux terrestres conservent la nostalgie de la mer ; leurs enfants surtout qui pour naître choisissent des milieux aqueux, voire marins : qui des œufs, qui le ventre d'une mère. Chez les mammifères en particulier, la mémoire océanique est telle qu'ils recréent dans le ventre des femelles une petite mer – le liquide amniotique – où les bébés sont heureux comme des poissons dans l'eau. Si heureux que lorsqu'ils ont grandi, ils n'ont de cesse de retourner en cette matrice : on dit qu'ils « font l'amour ». Et, dans les intervalles, ils aiment se nicher dans les creux de leurs semblables. L'humain n'échappe pas à cet atavisme : lui aussi adore ces remontées vers la matrice, lui aussi cherche à se lover dans les courbures de l'autre.

Alors, l'intimité répondrait-elle à un besoin d'immersion inscrit dans la mémoire cellulaire depuis les temps océaniques ? Ne serait-elle pas la résurgence d'un rêve « thalassal » ? Vision cosmogonique que permet la science et que rejoint le mythe !

Les racines préhistoriques

En ces temps-là, il y a quelque dix millions d'années, les singes (on peut l'imaginer en regardant les singes actuels) étaient pourvus d'une pulsion particulièrement puissante : la pulsion d'agrippement. Grâce à elle, les petits pouvaient s'agripper solidement au pelage de leur mère. Ce comportement était vital : d'une part, il leur permettait, en grimpant, d'accéder aux mamelles de leur mère – car la mère ne les soulevait pas – ; d'autre part, il leur permettait de rester solidaire de leur mère quand celle-ci se déplaçait d'arbre en arbre – car la mère ne pouvait les porter. Sans cette prise solide, les jeunes n'auraient pu se nourrir, ni suivre leur mère dans ses déplacements sans risquer de tomber aux pattes des prédateurs qui les guettaient.

Un jour, un singe descendit des arbres pour n'y plus remonter. Quelque temps plus tard, il perdit ses poils : ce fut le premier « humanoïde ». Qu'advint-il alors des enfants qui, du coup, ne pouvaient plus s'accrocher ? La nature faisant bien les choses, l'humanoïde, dans le même temps, se redressa sur ces pattes arrière, ce qui libéra ses bras et ses mains ; il put alors soulever et porter ses enfants : la tendresse était née. L'homme aussi. Ce fut également en se redressant que la femme et l'homme furent amenés à faire l'amour par-devant, ce qui contribua à la naissance de l'amour et du couple. Mais cela est une autre histoire[9].

Ce qui importe ici, c'est de savoir que la pulsion fondamentale d'agrippement existe toujours chez l'humain. Chez le nouveau-né, elle détermine le *grasping reflex* : c'est le puissant agrippement des doigts ou des orteils du bébé sur un crayon qu'on glisse sous la paume de la main ou sous la plante des pieds, agrippement tel que l'on peut soulever l'enfant. Chez l'adulte, elle s'est métamorphosée en « pulsion d'attachement », qui se traduit au niveau de la peau par ce besoin irrésistible de contacts, au niveau des orifices (buccaux, sexuels) par l'envie impérieuse d'être investis.

Ainsi, on peut penser que l'intimité est la lointaine héritière de la pulsion d'agrippement [9].

Les racines maternelles

La vie intra-utérine

Dans le sein de la mère, le fœtus, puis l'embryon vivent le nec plus ultra de l'intimité. Bien au chaud, au cœur d'une douce obscurité, flottant en apesanteur dans le liquide amniotique, bercé par le ressac qu'y engendrent les mouvements respiratoires de maman, balancé par la paisible houle qu'y provoquent ses déplacements, caressé par de si moelleuses parois, à peine effleuré par des bruits feutrés – tic-tac régulier du cœur maternel, murmure de sa voix, sourds décibels d'un lointain dehors –, et en plus aimé de sa mère, l'enfant vit heureux comme au temps de l'océan, comme au temps de l'Éden.

Bébé connaît bien son bonheur car, la science l'a prouvé, sa conscience s'affirme au fur et à mesure que son cerveau se développe ; le développement du psychisme humain évolue de zéro à l'infini. Le zéro se situe au stade de l'œuf, l'instant où ovule et spermatozoïde fusionnent. L'évolution suit la multiplication et la maturation des cellules nerveuses, tant au cours de la vie intra-utérine qu'au cours de la vie terrestre – la naissance n'étant qu'un changement de lieu et non l'origine du mental. L'infini, lui – en réalité le plein emploi –, n'est jamais atteint car une partie seulement du capital de neurones sera utilisée.

Les diverses fonctions cérébrales sont contenues à l'état virtuel dans chaque cellule nerveuse ; au fur et à mesure que les cellules croissent et s'agencent entre elles, les fonctions passent de l'état virtuel à l'état naissant puis à l'aptitude opérationnelle. C'est ainsi qu'un jour, le développement de la fonction motrice est assez avancé pour que l'embryon devienne capable d'agir – bouger, nager, changer de position, sucer son pouce, boire, etc. ; un autre jour, c'est la fonction sensorielle qui est mûre et l'embryon se met à percevoir des stimuli – les contacts sur le ventre maternel, les contractions abdominales de la mère, les sons, les goûts, etc. ; un autre jour encore, c'est la fonction psychique qui est prête : l'embryon peut alors enregistrer et intégrer les stimuli et y réagir. Il est capable, par exemple, de ressentir des douleurs ou des plaisirs et de bouger en conséquence.

Du reste, ce sont les réactions de l'embryon qui attestent la réalité de sa vie psychique et permettent d'en évaluer le niveau. Exemple de réaction : si l'on pose la main avec tendresse sur le ventre de la mère, l'embryon va venir à sa rencontre, fait qui est bien connu de ceux qui pratiquent l'haptonomie. Autre exemple : si l'on injecte une dilution sucrée dans le liquide amniotique, l'embryon se met à téter. Autre exemple encore : si l'on fait entendre une musique ou une histoire de façon répétée à l'embryon, le nouveau-né qu'il devient montrera par ses manifestations qu'il la reconnaît.

Notons que le nouveau-né préfère les fréquences basses, qui ont pour effet de l'apaiser. Or c'était bien sur un registre bas que les sons parvenaient à l'embryon dans son paradis utérin. Sans doute est-ce pour cela aussi que les tonalités qui paraîtront agréables et apaisantes à l'adulte sont les tonalités graves, comme celles de la voix dans l'intimité, ou le « ôm » des moines bouddhistes.

Les états psychiques de la mère, ses émotions en particulier, ont une influence sur le psychisme de l'embryon. On en a de multiples preuves. On a surtout étudié les influences négatives. On a constaté, par exemple, que si la mère est anxieuse pendant la grossesse, l'embryon est agité et le nouveau-né le sera également. De même, si la mère est atteinte de troubles psychosomatiques, le nouveau-né aura lui aussi des troubles psychosomatiques. Et si la mère n'accepte pas sa grossesse et agresse par pensées, mots ou gestes l'embryon, celui-ci pourra en conserver des traces psychiques. Inversement, si l'embryon a reçu de bonnes pensées, des mots doux et des caresses, il est calme et fera un nouveau-né calme et heureux.

En résumé, on voit bien que l'embryon est conscient de ce qu'il vit et en particulier du bonheur que lui offre cette étape intra-utérine. On peut donc supposer que le besoin d'intimité et de fusion plonge aussi ses racines dans cette période.

Les racines néonatales

Les relations entre la mère et le bébé, en particulier au cours des deux premières années, constituent le prototype de l'intimité. À l'occasion de l'allaitement – et plus généralement de l'alimentation –, des soins d'hygiène et des jeux, la proximité des deux protagonistes est des plus étroites, leurs interactions des plus fortes et leur tendresse des plus ferventes. C'est ce qui fait de cette relation la plus intime, la plus dense et la plus intense des relations humaines. L'amour de la mère est absolu, son comportement un modèle de sollicitude, de tendresse et d'abnégation. La geste maternelle est admirable : voyez comme elle manipule bébé, le caresse, le chatouille, l'embrasse, le dévore, le berce, l'étreint, le lave, le sèche, le talque, le lange, le vêt, le nourrit de son propre sein ou contre son sein. Pour bébé, complètement abandonné, ce corps à corps merveilleux c'est le bonheur absolu, la béatitude, en d'autres termes c'est ici aussi le paradis retrouvé.

Ce premier amour, cette première intimité resteront inscrits dans notre corps – dans chacune de ses cellules – et dans notre psychisme, toute notre vie. Nous en garderons une telle nostalgie que nous n'aurons de cesse de revivre une relation aussi fusionnelle. Et nous tenterons avec nos aimants de réactualiser pareil bonheur.

La force de cette relation intime vient de ce qu'elle implique intensément tous les sens et que bébé tout spécialement y est plongé dans une véritable constellation de sensations.

— **Sa peau** reçoit sur toute son immense et si sensible surface de fabuleux contacts. Nous en avons vu les merveilleux bienfaits.

— **Son ouïe** reconnaît la voix qui lui parle : c'est celle qu'il entendait, assourdie, pendant ces mois de bonheur aquatique, il en reconnaît les intonations ; et s'il n'en comprend les mots, il sent bien que le ton est doux, que le ton est gai.

— **Son odorat** ici est particulièrement gâté ; c'est dans un véritable bain d'odeurs qu'est plongé le petit dans les bras de sa mère : arôme du sein où le lait affleure, effluves du creux axillaire tout proche, parfum du souffle maternel qui effleure son visage, senteur des cheveux qui le taquinent, fragrances de la zone uro-génito-anale qui s'exhalent, toutes odeurs porteuses de phéromones dont nous savons qu'elles sont des messagères du désir et des émotions. De fait, si nous nous rappelons que le centre cérébral des odeurs – le rhinencéphale – est mitoyen du centre des émotions – le système limbique – et du centre du désir – l'hypothalamus –, nous comprenons pourquoi les effluves soulèvent en bébé tant de bonheur.

Mais ce qui importe le plus ici, c'est de savoir que ces odeurs s'associent à l'état de bonheur ressenti et se chargent encore plus d'énergies heureuses ; et que la mémoire enregistre cette association odeurs-bonheur. Ainsi les arômes corporels acquièrent un puissant pouvoir évocateur. Le surgissement de fragrances semblables chez l'adulte produira des montées de bonheur et des envies de câlins.

— **Sa vue** lui offre d'autres félicités : les regards de sa mère, ses mimiques et entre autres cette mimique si rassurante, si encourageante, son sourire.

— **Sa bouche** lui apporte le summum du bonheur. Le lait y coulant non seulement caresse agréablement les muqueuses de l'orifice, mais surtout met un terme à cette sensation si désagréable et si angoissante : la faim. Alors, un merveilleux bien-être baigne bébé, son corps et son mental.

Cependant, quel que soit l'émerveillement des sens, cette situation n'atteint sa dimension de bonheur parfait que parce que, au-delà de la sensualité, il existe une relation et une relation d'amour.

Relation, sûrement, puisque c'est un échange, un dialogue ; chacun donne et reçoit, chacun perçoit ce qui émane de l'autre – en particulier ses intentions, ses sentiments. Les messages des sens et les réponses de chacun constituent une véritable communication. Le bébé n'est pas le dernier : on comprend bien tout ce qu'il veut dire avec sa voix – ses gazouillis, ses rires, ses cris, ses pleurs ; mais on ne sait pas assez combien son sourire a un rôle fondamental et magique : c'est sa façon d'attirer, de retenir et de récompenser maman.

Relation d'amour, assurément, puisque la mère ne se contente pas de dispenser la nourriture et les soins, elle le fait avec infiniment de tendresse. Sa façon de donner importe autant que ce qu'elle donne : c'est sur son visage un sourire, un pétillement des yeux ; sur ses lèvres des bisous légers, des baisers gourmands ; dans sa voix une douceur et un entrain ; dans ses gestes une rondeur, une précaution ; dans ses mains une ferveur, des caresses et des jeux, etc. Chez l'enfant il y a également infiniment d'amour, le sourire en étant le plus touchant témoignage. Sans doute cet amour n'est-il encore qu'une manifestation de contentement et de gratitude, et qu'un attachement conditionnel. Qu'importe, l'essentiel est que l'amour naisse[10].

Cette relation, avons-nous dit, constitue le prototype des relations amoureuses et de l'intimité ; il faut toutefois faire une réserve : le fusionnel tel que le vit l'enfant, l'adulte n'aura pas à le copier sous peine de régresser.

Le nouveau-né, au départ, n'a pas conscience des limites de son moi ; il ne peut faire la distinction entre lui-même et le reste du monde. S'il bouge une jambe, il pense que le reste du monde bouge ; inversement, s'il voit sa mère bouger, il croit qu'il bouge. S'il a faim, il s'imagine que sa mère et le reste du monde ont faim. Bref, son moi et tout ce qui est à l'extérieur ne font qu'un, sont confondus. C'est la phase de fusion infantile à laquelle succédera la phase de différenciation.

En effet, bébé ne tarde pas à s'apercevoir que s'il veut bouger son bras, son bras se déplace devant ses yeux mais seulement son bras, pas le plafond ; et que s'il a faim, sa mère ne survient pas à l'instant. Sa volonté n'a pas de prise sur tout et ses désirs ne sont pas toujours suivis d'effet. Il y a donc des choses sur lesquelles il peut agir et d'autres sur lesquelles il ne peut rien. Il y a donc lui et ce qui n'est pas lui. Son corps est limité et son pouvoir restreint. C'est la découverte de ses limites qui lui apprend son identité, lui donne le sens de son « moi ». Il prend alors conscience qu'il est une entité différente du reste du monde.

Toutefois, l'enfant s'accroche encore longtemps à cette tendance à confondre son moi et l'extérieur, à cette illusion de pouvoir commander à tout. Jusqu'à trois ans, il essaie encore d'agir comme un petit tyran qui veut que ses désirs soient des ordres et pique des colères s'il n'obtient pas ce qu'il veut. Mais il lui faut bien constater que ses colères ne changent pas la réalité : les gens et les choses résistent. Aussi, plus il avancera en âge, plus il constatera qu'il est bien une individualité séparée au pouvoir limité. C'est ainsi que chez les êtres naît la sagesse. C'est ainsi que s'installe aussi cette tristesse profonde de se savoir isolé et quasi impuissant.

Notons en passant l'importance de la mère dans cette évolution. Selon son attitude elle aidera l'enfant à se différencier ou au contraire le laissera patauger dans la fusion. Ceci est le cas des mères possessives qui ont intérêt à maintenir l'enfant en état de dépendance. C'est aussi le cas de mères frustrées par un partenaire distant ou disparu (divorcées, veuves), et qui reportent leur besoin d'affection sur l'enfant.

Revenons-en à cet être qui a pris conscience de son état de séparation. Apparemment, il se résigne, au fond de lui il rêve, il espère, il attend il ne sait quoi. Et un jour, il tombe amoureux. Aussitôt remonte au galop son désir de faire éclater ses frontières, de se fondre avec le monde – son aimé(e) en l'occurrence – et de retrouver une sorte d'omnipotence. Du reste, la passion c'est fait pour ça. La passion restaure donc la fusion infantile, pour le meilleur et pour le pire. Le pire, ce sont ces erreurs et ces leurres que nous avons décrits dans l'état amoureux (l'illusion, l'irréalisme, l'aliénation, la dépendance). Si le pire l'emporte, la passion prend l'allure d'une régression à un stade d'indifférenciation semblable à celle de l'enfant ; la béatitude qu'elle procure peut se jouer longtemps de la réalité. Mais un jour la réalité finit par s'imposer, plus dure que la pierre – comme ce fut le cas pour l'enfant. Alors la passion s'y fracasse : c'est la crise que nous avons également décrite. Si les aimants savent y voir l'occasion de sortir de leur ego infantile, c'est-à-dire de maturer et de grandir, ils pourront accéder à l'étape suivante : le véritable amour. Alors ils y découvriront une forme supérieure de fusion. Et une intimité d'une tout autre profondeur.

Chapitre 7

LES OBSTACLES À L'INTIMITÉ PHYSIQUE ET LEURS TRAITEMENTS

Chemin faisant nous nous sommes aperçus que l'intimité, contrairement à ce qu'on pouvait croire, ne va pas de soi. Maintenant nous allons cerner plus précisément ce qui l'entrave. Nous commencerons par ce qui gêne l'intimité physique.

Qu'est-ce qui peut bien dissuader l'un des partenaires de se rapprocher de l'autre ? Qu'est-ce qui, en chacun, interdit d'épanouir sa sensualité ?

UNE ODEUR CORPORELLE

Malgré les soins d'hygiène, le corps conserve des odeurs. Selon les individus, ces odeurs varient en force et en qualité, chacun possédant une fragrance particulière dite *sui generis* ; c'est heureux car nous savons qu'elles font partie de notre pouvoir d'attraction. Toutefois, il arrive que des personnes émettent des effluves qui ne conviennent pas à leur partenaire.

On peut alors se demander comment il se fait qu'ils se soient rencontrés et rapprochés ? Sans doute au départ un déodorant ou un parfum masquaient la réalité ; ou bien un autre élément attractif l'emportait sur ce désagrément. Il se peut aussi que l'odeur soit apparue après la rencontre, acquise à la suite d'un changement d'alimentation, d'une modification des fonctions d'élimination, d'une maladie ou de la prise de médicaments.

Il arrive que l'odeur gêne « l'émetteur » lui-même et qu'il ait quelques scrupules à s'approcher de l'autre.

Pour se débarrasser de ces effluves désagréables, voici quelques conseils qui visent à soigner la cause :

1. Changez d'alimentation. Évitez les aliments trop forts de goût et d'arômes : certains végétaux (ail, oignon, échalotes, poireaux, asperges, etc.), et les viandes fortes, en particulier les abats.

2. Changez de médicaments. Les vitamines du groupe B, par exemple, donnent à la peau une odeur de souris. Consultez votre médecin.

3. Buvez beaucoup d'eau pour diluer la sueur.

4. Renforcez les soins d'hygiène :

— se doucher fréquemment et en particulier après les activités physiques augmentant la transpiration. Insister plus spécialement sur les pieds et le périnée ;

— utiliser un déodorant, une eau de toilette ou un parfum choisi en fonction des goûts du partenaire ;

— changer fréquemment de linges.

Une mauvaise haleine

S'il y a des bouches qui exhalent le miel ou le pin, il y en a qui émettent des odeurs désagréables, voire extrêmement désagréables. Souvent ceux qui empuent ne le savent pas et personne n'ose leur dire. Parfois c'est une affection dentaire qui crée la pestilence, d'autres fois c'est une mauvaise digestion, d'autres fois encore une affection nasale ; certains aliments, certaines maladies et leurs médicaments peuvent également causer une fétidité de l'haleine. Sans oublier le tabac !

Voici quelques conseils pour vous aider à épurer votre haleine :

1. Soignez votre dentition : brossez-vous les dents après chaque repas. Consultez votre dentiste.

2. Soignez votre digestion : les troubles gastriques créent des remontées acides dans la gorge, l'insuffisance hépatique donne de l'amertume dans la bouche et des fermentations dans l'intestin ; l'insuffisance pancréatique provoque des putréfactions et des fermentations qui ballonnent l'intestin et brouillent l'haleine. Pour prévenir ces troubles, mâchez lentement, réduisez considérablement votre consommation de graisses et de viandes, prenez des stimulants hépatiques et des extraits de pancréas. Consultez votre médecin.

3. Soignez l'obstruction nasale. Les polypes et les déviations de la cloison nasale empêchent l'air de passer par le nez, ce qui oblige à respirer par la bouche ; celle-ci, en se desséchant, produit une odeur. Pour vérifier quelle est la narine la plus obstruée, il suffit de souffler avec le nez sur un petit miroir : là où il n'y a pas de buée est la narine bouchée. Reste donc à consulter un médecin ORL.

4. Éliminez les aliments dont l'odeur ou le goût sont forts.

5. Changez de médicaments. Les tranquillisants, par exemple, dessèchent la bouche et par ce biais perturbent l'haleine. On peut les remplacer par des remèdes de phytothérapie ou d'homéopathie ; ou leur associer un médicament qui augmente la salive. Consultez votre médecin.

Si vous connaissez quelqu'un qui a l'haleine mauvaise, dites-le-lui, vous lui rendrez un grand service.

Vous-même demandez régulièrement à votre partenaire si votre bouche est fraîche.

Une « laideur » ou quelque chose qui est ressenti comme tel par le partenaire ou vous-même

Ce peut être une « laideur » congénitale : dissymétrie des traits, malformation, etc. Ce peut être aussi une « laideur » acquise : des séquelles de traumatisme ou d'opération – telles qu'une cicatrice, une amputation –, des maladies diverses, en particulier des maladies de peau. Si le « défaut » préexistait à la rencontre, le partenaire a forcément pris son élu(e) « en l'état », et rien ne devrait gêner l'intimité. Par contre, si ce « défaut » est apparu ultérieurement, il peut poser problème. Une maladie dermatologique, une défiguration du visage, une amputation, une obésité, les altérations liées à l'âge, peuvent rebuter le partenaire. L'ablation d'un sein et l'obésité posent des problèmes particuliers sur lesquels nous reviendrons.

Remarquons, ici aussi, que c'est souvent le porteur du défaut qui est le plus gêné – il « fait des complexes » –, alors que le partenaire a accepté le fait. Cette gêne, du reste, n'est pas forcément proportionnelle à la disgrâce ; il arrive qu'à partir d'une disgrâce insignifiante, le sujet fasse « une vraie maladie ». C'est qu'il la majore et se voit plus mal qu'il n'est : il fait de la dysmorphophobie.

Un bel été, il y a de cela quelques années, j'eus la visite d'une femme jeune, appelons-la Juliette, à l'occasion d'une exposition que j'avais organisée. Ayant sympathisé, nous décidâmes de dîner ensemble. Ses yeux étaient d'un tel bleu et le Saint-Estèphe tellement voluptueux, que nous nous sentions à la lisière de l'intimité. À minuit, toutefois, elle regagna sa voiture et, fait important, je ne constatais rien d'anormal dans sa démarche sur ce chemin caillouteux. Le lendemain matin, quelle surprise de découvrir sous la table, à la place qu'occupait Juliette, un fort joli soulier doré. Je me demandais, entre autres questions, comment elle avait pu marcher pied nu sur les cailloux sans gémir. Bientôt, elle me téléphona et le mystère s'éclaircit : à la suite d'une amputation de son membre inférieur gauche, consécutive à un cancer du fémur, elle portait une prothèse assez perfectionnée. Et de m'interroger sur la réaction que j'aurais eue si l'intimité s'approfondissant entre nous, j'avais découvert le membre sectionné... ? Qui l'aurait emporté du tendre désir ou de la gêne réciproque ?

Maintenant je voudrais vous parler des femmes qui ont un problème avec leur « ligne ».

Il y a tout d'abord les rondes et les obèses. Elles ne sont pas heureuses dans l'intimité. Certaines ne supportent plus que leur mari les regarde, aussi se déshabillent-elles hors de sa présence et font-elles l'amour dans le noir ; d'autres vont jusqu'à refuser carrément toute relation intime. Il y a ensuite les porteuses de cellulite ; c'est chez elles qu'on trouve le plus de dysmorphophobiques : leur corps est parfait mais sur leurs cuisses il y a deux millimètres de cellulite qu'elles ne peuvent tolérer ; elles ne voient plus que ça et leur mari a beau les rassurer, elles se croient laides.

À vrai dire, ces femmes sont victimes d'un véritable terrorisme de la minceur auquel nulle ne peut échapper : il s'exerce par l'image (les magazines, les affiches, les écrans n'exposent que le prototype filiforme), il s'impose par la mode vestimentaire (les boutiques n'offrent que les tailles correspondant à ce prototype). Or les normes de référence sont si basses que la majorité des femmes ne peuvent les atteindre. Le malheur est que les hommes également ont adopté le modèle et évaluent leur compagne à l'aune de ces chiffres. Aussi, rares sont les femmes vraiment satisfaites de leurs formes et qui s'offrent à l'intimité sans réserve [10].

Comment dès lors réconcilier les femmes rondes et, d'une façon générale, tous les êtres porteurs d'une « imperfection » avec l'intimité ? Et comment réconcilier les partenaires de ces êtres avec ces « imperfections » ? Voici quelques propositions.

Si vous êtes gêné par votre propre disgrâce, apprenez à vous aimer tel que vous êtes. Nous verrons dans le chapitre 11 comment apprendre à s'aimer. Quant à vous aimer tel que vous êtes, il n'y a pas d'autre solution que de vous assumer en vous appuyant sur vos autres atouts. Pour vous donner confiance en vous, branchez-vous sur ce que vous aimez en vous, sur ce qui est réussi et jouez-en. Jouez de vos attraits. Vos yeux, vous le savez, sont irrésistibles ; alors ne pensez qu'à eux et faites en sorte que l'homme s'y abîme et en oublie sa revue de détail.

Surtout, n'allez pas à l'intimité en vous pensant moche, sinon il vous sentira moche. Allez à l'intimité avec une bonne opinion de vous, avec toute votre personnalité et la conviction que vous valez beaucoup. Pensez à votre art d'aimer : vous savez caresser, jouir, faire jouir, or tellement de femmes qui ne sont pas des Phryné, s'attachent follement des hommes grâce à leurs talents érotiques. Pensez surtout à vos qualités affectives et intellectuelles. Votre tendresse, votre gaieté, votre générosité, votre créativité, votre culture, c'est cela qui compte dans l'intimité. C'est son cœur et son esprit qu'on y apporte.

Si vous êtes rebuté par une disgrâce ou une cicatrice, que sais-je, de votre partenaire, efforcez-vous de prendre un peu de hauteur et d'accéder à un niveau de conscience plus élevé et plus large, celui de l'amour véritable. Ici, aimer c'est s'engager dans un chemin commun où chacun cherche à s'accomplir tout en participant à l'accomplissement de l'autre. Nous y reviendrons dans la conclusion.

De toute façon, que vous soyez celui qui est atteint d'une imperfection ou celui qu'elle éloigne, il est souhaitable que vous vous dégagiez de la pression de cette société qui prône l'apparence et l'avoir. L'homme (au sens générique) actuel privilégie « l'avoir » par rapport à « l'être ». Il veut avoir la « forme », avoir la « ligne », avoir le « look », il veut avoir des biens et des objets, il veut avoir une belle situation et avoir du succès, il veut avoir une jolie femme, il veut par-dessus tout avoir beaucoup d'argent, car c'est ce qui lui permettra d'avoir tout le reste. Mais s'il veut posséder tout cela, ce n'est pas tant pour en jouir que pour « avoir l'air » de celui qui est capable de les acquérir, bref c'est pour paraître. Or « avoir » et « paraître » sont inauthentiques ; c'est exister en fonction des autres, comme un reflet du regard des autres, autrement dit c'est exister par procuration.

Un jour, il nous faut bien prendre conscience que la possession de biens et le succès social n'apportent pas le bonheur ; que la recherche de la « réussite » est un signe d'insuffisance du moi, la volonté de puissance la compensation du vide intérieur, et que le bonheur authentique c'est dans « l'être » qu'on le trouve, dans l'accomplissement de soi.

Être, c'est vivre en harmonie avec son corps, avec toutes les facettes de son mental, comme avec ses semblables et avec la nature. Être, c'est être bien dans son corps, se sentir en étroit contact avec la vie qui le parcourt, recueillir toutes les sensations qu'il procure et en tirer du plaisir. Être, c'est accueillir toutes les composantes de son mental : sa sensibilité, son affectivité, son instinct et son intuition, aussi bien que son intellect, et les épanouir également. Être c'est la simplicité, car il n'est pas nécessaire d'avoir pour être et obtenir du bien-être ; on fait un délice des simples sensations que nous offrent nos cinq sens quand ils entrent en contact avec les autres ou avec la nature ; les richesses se trouvent dans les mets les plus simples, dans la contemplation de la mer, des collines, des forêts, dans l'amitié, dans l'amour.

Une situation particulière résume tout ce qui vient d'être dit sur les « imperfections » : c'est l'ablation d'un sein ou mammectomie. Elle constitue pour l'intimité du couple une véritable épreuve. La femme opérée craint que l'amputation d'une partie aussi symbolique de son corps ne réduise sa féminité et donc sa séduction. Aussi redoute-t-elle le premier regard de l'homme. Si cet homme continue à la regarder avec les yeux du désir, elle s'en sortira bien. Si l'homme manifeste quelque réserve, voire un certain dégoût, elle risque de déprimer. Je conseille donc à la femme qui vient d'être opérée de ne pas attendre l'appréciation de l'homme pour s'accepter : elle doit s'accepter d'abord elle-même authentiquement. C'est un travail solitaire d'élévation de conscience qui réclame courage et intelligence, mais qui en vaut la peine. Ce n'est que lorsqu'elle sera à nouveau bien dans sa peau et sûre d'elle-même qu'elle pourra vaincre les réticences extérieures.

Quant à l'homme qui grimace – parce que trop accroché à la symbolique ou parce qu'il introjecte la menace du cancer –, qu'il saisisse l'occasion d'agrandir son amour en dépassant son ego. Cette femme est bien celle qu'il a tant aimée et désirée, avec qui il a vécu tant de choses ; ses yeux sont toujours aussi beaux, son sourire aussi chaud, ses mains aussi douces. Qu'il laisse cicatriser la plaie et, pour le moment, qu'il prenne plaisir à promener ses mains sur l'immense surface de la peau. S'il éprouve un irrésistible besoin d'englober des rondeurs, qu'il empaume le plein d'une fesse ou l'arrondi d'une épaule. Après-demain, il pourra prendre l'autre sein. Et que le désir flamboie.

« Il ne faut jamais dire du mal de soi », j'avais un jour entendu ma grand-mère donner ce conseil à ma sœur. Je compris bien plus tard l'importance de cette recommandation à propos d'une patiente. Je la trouvais belle et bien faite jusqu'au jour où elle me dit : « Docteur, vous avez vu mes oreilles, elles sont vraiment ratées, qu'est-ce que je pourrais faire ? » C'est vrai que ses pavillons étaient un peu grands et un peu décollés, mais je ne les avais pas remarqués, sans doute plus attiré par la pétillance de ses yeux, et parce que les cheveux masquaient en partie l'imperfection. Mais dès lors à chacune de ses visites, je ne pus m'empêcher de regarder ces fameuses oreilles, pour un peu je ne voyais plus qu'elles. Je m'en voulais. Oui, il n'est pas bon de dire du mal de soi.

Rarement les êtres naissent avec une sensualité réduite ; le plus souvent, c'est le résultat d'une éducation répressive : ou les parents étaient naturellement peu sensuels et ont par conséquent dénié la sensualité de leur enfant, ou les parents eux-mêmes étaient victimes de la culture ambiante et ont relayé la répression qu'ils avaient subie. Car le responsable, c'est notre civilisation judéo-chrétienne qui a fait du plaisir un péché et des sens la porte de l'enfer. Bien entendu, ce sont les plaisirs qui naissent de la rencontre de la femme et de l'homme qui sont le plus chargés d'opprobre. Déjà le rapprochement des corps est entouré de honte, alors il ne faut pas s'étonner que celui des sexes soit quasi condamné. De surcroît, cette civilisation, non contente de stigmatiser les plaisirs, exalte la souffrance et exhorte au sacrifice. Le résultat de cette éducation, c'est un être rétracté, anesthésié, froid. À force de les faire taire, il ne sent plus son corps, il n'entend plus les messages de ses sens.

Est-il possible de développer sa sensualité ? Oui, il faut pour cela approfondir notre capacité à percevoir les messages de nos sens et à en profiter. Ce que je prône sous le nom de « sensualisme[3] », ce n'est pas à proprement parler une méthode pour devenir plus sensuel, c'est une disposition d'esprit qui, en nous rendant plus réceptif aux sensations, les amplifie. Pour y parvenir, mettez-vous en condition :

1. Retrouvez la fraîcheur de vos sensations et la virginité de votre sensorialité. Soyez comme l'enfant au réveil, le convalescent à sa première sortie, ou l'amoureux fraîchement épris. Que tout vous semble neuf. Pour cela, décidez de façon délibérée et pleinement consciente de recevoir les sollicitations de vos sens comme si elles étaient nouvelles, comme si vous étiez nouveau : écarquillez vos yeux, ouvrez vos oreilles, humez avidement, goûtez en savourant, touchez avec ferveur.

2. Concentrez-vous sur le présent. Quand la conscience est braquée sur l'instant présent, la sensation est maximale. Inversement, si on laisse divaguer son attention vers le passé ou vers le futur, on perd le contact avec la sensation. Décidez ici aussi, par un acte pleinement volontariste, de débarrasser votre conscience de toute pensée parasite et d'être tout entier à ce que vous faites : bien voir ce que vous regardez, bien entendre ce que vous écoutez, bien sentir ce que vous touchez, etc.

3. Abandonnez-vous. L'abandon est la condition primordiale du bien-être. Pour jouir, il faut que le surmoi et le moi abdiquent leur domination sur le corps. Alors laissez-vous vibrer au rythme des sollicitations, laissez-vous envahir par les sensations.

4. Prenez votre temps. La rapidité est incompatible avec la sensualité. La sensation n'apparaît dans toute sa splendeur que si le flot de la conscience est revenu. C'est alors qu'on la ressent bien, qu'on en profite bien. Prenez donc le temps de vivre – c'est-à-dire de sentir, de jouir –, offrez-vous des plages de sensualité, d'intimité, quitte à réorganiser votre vie, à revoir vos objectifs et vos priorités.

5. Branchez-vous sur une seule sensation à la fois. Pour obtenir l'optimum de plaisir d'une sensation, il faut la sélectionner, la retenir à l'exclusion de toute autre. Associer plusieurs sensations peut diminuer la force de chacune. Soyez puriste, savourez vos sensations pures et uniques. Quand vous écoutez, soyez à votre écoute, quand vous caressez, soyez à votre caresse.

Ces exercices ne suffiront pas à épanouir votre sensualité si par ailleurs vous ne la libérez pas des tabous profonds qui l'entravent. Pour y arriver, prenez conscience que la Nature, ou le Créateur, a pourvu notre corps de cinq sens qui non seulement nous renseignent sur l'état du monde extérieur, mais en plus nous procurent du plaisir. Et ce plaisir est une fonction largement inscrite dans notre organisme puisqu'elle est composée de capteurs, de circuits nerveux et de centres cérébraux. Si la Nature, ou le Créateur, a élaboré un système aussi complexe, c'est bien pour que nous en jouissions ; tout le reste est de la littérature apocryphe.

Chapitre 8

LES OBSTACLES À L'INTIMITÉ PSYCHIQUE ET LEURS TRAITEMENTS

Voyons maintenant ce qui, sur le plan psychique, s'oppose à l'établissement d'une bonne intimité. Les obstacles peuvent se situer en chacun des partenaires ou concerner plus précisément leur mode de communication.

LES OBSTACLES EN CHACUN

UNE SENSIBILITÉ RÉDUITE

Le manque de sensibilité peut être congénital : on naît pourvu d'un tempérament peu vibrant et peu tendre. Il peut aussi être acquis : c'est au fil des ans, sous la pression de l'éducation que notre caractère s'est endurci. Ou bien nos parents étaient spécialement durs de nature. Ou bien ils avaient été forgés dans la stricte tradition de la culture judéo-chrétienne. Cette culture se méfie des sentiments : en attachant les êtres, en les amollissant, les sentiments perturbent les âmes et les détournent de leur devoir et de Dieu. Il faut donc les maîtriser. Mais en nous coupant du cœur, de ce qui nous rend humain et nous relie aux autres, cette éducation fabrique des êtres peu chaleureux et peu tendres, voire des êtres froids.

Cette attitude répressive, qui culmine dans le puritanisme, est en contradiction avec les messages originaux de la religion chrétienne qui, elle, entend servir. En réalité, elle reflète la position des hommes, religieux ou laïques, au temps du patriarcat : ce qu'ils veulent, c'est se défaire de leur part féminine – la sensibilité, la sensualité, etc. –, car cette part les fragilise face à la femme qu'ils veulent dominer, parce qu'elle leur fait peur et menace leur pouvoir. Le machisme, fruit de la même peur, est la même démarche sur le plan profane et dans un registre plus vulgaire.

Heureusement le patriarcat est en passe de disparaître. La femme et l'homme évoluent très vite. Ils sont devenus égaux et sont en train d'inventer une nouvelle alliance. Le nouvel homme n'aura plus à dominer la femme, il pourra laisser éclore sa part féminine – son *anima*. Il y gagnera doublement : sa vie sera plus riche et plus douce, la nouvelle société plus juste et plus tendre.

Des difficultés sexuelles

Nous avons vu que l'intimité débordait la sexualité, que la sexualité n'en était qu'un moment – une porte d'entrée, un interlude, un sommet. Toutefois, ce moment étant fondamental, les problèmes sexuels risquent de perturber l'intimité. C'est une raison de plus pour les soigner.

Pour l'analyse et le traitement des troubles sexuels, je vous renvoie au *Traité des caresses* et au *Traité du désir*. Je rappelle seulement que très souvent les difficultés sexuelles relèvent plus du contexte psychologique (frustration affective, déficit de communication, usure du désir, etc.) que d'un manque de « technique » érotique.

De toute façon, quelles que soient les difficultés sexuelles, il ne faut jamais renoncer à l'intimité : elle ne peut que favoriser l'avènement d'une sexualité réussie. En attendant, elle compensera les frustrations d'une sexualité encore incomplète : en l'absence du plaisir des organes sexuels, le bien-être de l'intimité physique – les étreintes, les baisers, les caresses, etc. – et l'agrément des échanges affectifs offrent un vrai bonheur, qui est, du reste, plus qu'une compensation.

Des peurs

Des peurs de toutes sortes s'opposent souvent à l'établissement d'une véritable intimité. L'intimité ce n'est pas seulement se blottir dans les bras de quelqu'un et échanger quelques propos sentimentaux. C'est aussi s'abandonner à l'autre, lui ouvrir les portes de notre vie intérieure, le laisser entrer.

La peur de s'abandonner

S'abandonner physiquement, c'est relâcher les tensions de son corps, autrement dit, détendre ses muscles. C'est aussi s'abandonner aux bras de l'autre. Mais n'est-ce pas indigne d'un adulte bien élevé et doué de raison, d'un chef, d'un intellectuel ? Entre « laisser aller » et « le laisser-aller », entre se détendre et s'avachir, le surmoi ne fait pas de distinction. N'est-ce pas également dangereux ? Entre « laisser aller » et « laisser faire », il n'y a qu'un pas. L'abandon, en réduisant notre vigilance, nous rend vulnérable.

S'abandonner psychiquement c'est accepter ses sensations, ses émotions, ses désirs et les exprimer. C'est donc aussi faire des confidences qui en entraînent d'autres. Ce qui est également indigne d'un adulte car l'émotion est faiblesse. N'est-ce pas aussi dangereux ? Révéler sa sensibilité est dangereux, confier ses secrets est dangereux, tomber amoureux est dangereux, c'est même ce qu'il y a de plus dangereux, car alors on s'attache et on devient dépendant ; on n'est plus maître de son destin, ni de son temps. Et en plus, danger suprême, on s'expose à être abandonné. De l'abandon au don, du don à l'abandon, le cercle mortel est bouclé : plus on se sera donné, plus dur sera le rejet.

À vrai dire l'abandon, le physique aussi bien que le psychique, en nous faisant baisser la garde et enlever la cuirasse, fait de nous des enfants et nous livre à l'autre, et nous expose à tous les périls.

Une telle peur atteint de préférence les sujets au moi fragile et immature ; ils manquent de confiance en eux et s'accrochent aux repères artificiels qu'ils se sont fabriqués. Pour réduire cette peur ou, mieux, l'éradiquer, il faut qu'ils se construisent un moi fort et une solide confiance en eux. Alors, au moment de s'abandonner, ils n'écouteront plus leur surmoi tyrannique quand il leur dira que c'est « indigne » de se relâcher, car ils sauront qu'un adulte non seulement a le droit de poser son sac, mais qu'il est bon pour lui de le faire. Ils ne l'écouteront pas plus quand il leur dira qu'être sensible c'est une faiblesse, car ils sauront que l'être fort et riche est celui qui accepte sa sensibilité sans craindre de s'y dissoudre. Ils n'écouteront pas non plus l'enfant peureux en eux qui leur souffle que c'est dangereux de se donner, que c'est risquer de s'attacher puis d'être abandonné, car ils savent qu'en leur centre est un noyau inaliénable et inaltérable et qu'ils peuvent se donner en sachant se reprendre.

La peur d'être découvert

L'intimité, c'est laisser l'autre accéder à la partie la plus profonde de soi-même – sa vie intérieure – et se montrer tel que l'on est. En exprimant ses émotions et ses pensées, on révèle ses forces et ses faiblesses, ses beautés et ses laideurs, ses aspirations et ses peurs. C'est donc prendre le risque d'être jugé et incompris, méprisé, rejeté et donc s'exposer à revivre les pires moments de son enfance et voir se rouvrir les blessures d'alors.

Le risque de l'intimité, c'est de se dévoiler soi-même dans l'euphorie de la situation ou d'être percé par l'autre à la faveur de la proximité. Dans les deux cas, le partenaire accédera à notre domaine secret et connaîtra notre part d'ombre : nos doutes, nos insuffisances, nos manques, nos peurs, nos hontes, nos fantasmes, bref toutes ces choses inavouables que nous voudrions cacher. Alors il saura comme nous sommes fragiles sous la cuirasse, combien nous sommes laids sous le masque, combien nous sommes néant au-dedans. Peur de voir le néant de la relation révélé.

Ici aussi pour dépasser cette peur, il faut renforcer son moi. Un être bien construit ne craindra pas d'être découvert, car il a appris à se connaître et il a accepté sa part d'ombre, ce qui lui donne une force considérable, ne serait-ce qu'en réduisant sa vulnérabilité aux attaques. Nous approfondirons cela dans le chapitre 11.

Si vous êtes le partenaire de quelqu'un qui craint l'intimité, rassurez-le, dites-lui que vous l'acceptez tel qu'il est, que vous le comprenez, que vous ne le jugez pas, qu'il peut se faire confiance et vous faire confiance. Et alors, se jeter à l'eau.

La peur d'étouffer

Trop de promiscuité peut provoquer l'impression d'être étouffé. Ce vécu est à relier à des événements de l'enfance – une mère couveuse et étouffante par exemple ; il peut aussi être le fait de certains caractères qui ont besoin d'air, d'espace vital.

La peur de la fusion

Fusionner c'est recevoir l'autre dans notre territoire et risquer d'être envahi et dévoré de l'intérieur. Inversement, c'est entrer dans la peau de l'autre et risquer de n'en point revenir, d'y être incarcéré, enchaîné ou pire d'y disparaître – dissous, absorbé, détruit. De toute façon, l'autre apparaît comme un prédateur : aimant, il exige la symbiose, hostile, il rêve d'assassinat. Alors la peur tourne à l'angoisse voire à la panique.

L'être bien construit n'aura plus peur des moments de fusion. Il saura ouvrir sa porte à l'autre, le recevoir sans se sentir envahi. Inversement, il saura quitter sa peau pour se glisser dans celle de l'autre sans redouter de s'y perdre. Le moi fort sait ouvrir et clore, entrer et sortir. C'est son autonomie qui lui permet cette souplesse.

La peur des contacts

L'intimité, c'est le contact au maximum, le contact à pleine peau, à pleines mains et à bras-le-corps. Ceux dont le corps a été traumatisé, battu, violenté, violé ne peuvent supporter cela, car ils ont l'épiderme à vif, méfiant. Ceux qui n'ont jamais été touchés avec amour n'en ont plus besoin, car ils ont caparaçonné leur peau.

Que faire pour réconcilier les êtres avec leur peau ? Je propose de leur dire : « Changez de disque. » Le disque que vous utilisez, c'est celui que vous aviez composé et enregistré dans votre enfance, quand vous viviez dans le microcosme (papa, maman, vos frères et sœurs, et vous). Il était destiné à atténuer vos souffrances ou ne pas trop sentir vos manques d'alors. Maintenant vous êtes adulte et vous vivez dans le macrocosme (des proches différents et un espace différent et plus vaste). Il n'y a donc aucune raison que vous vous comportiez comme d'antan. La donne est changée, alors changez vous aussi. Pour y parvenir fortifiez votre moi, par exemple en entreprenant un travail de développement personnel.

Au partenaire de celui qui ne caresse pas, je conseillerai : ne le prenez pas à rebrousse-poil avec des reproches et des accusations du style : « Tu ne me caresses jamais. Tu n'es pas caressant. Tu es égoïste. Tu n'es pas celui dont j'avais rêvé. Tu me rends malheureuse. Etc. » Ces « tu » accusateurs n'auraient pour résultat que de mettre l'autre en position d'accusé, d'incapable, d'insatisfaisant, voire de cruel, donc de le braquer et de le faire se recroqueviller plus encore. Il est préférable de le convaincre subtilement, mais concrètement que le toucher est important.

Profitez, par exemple, qu'il ait mal dans le cou, dans le dos ou à la tête pour lui masser ces zones. Ou bien faites-lui son shampooing quand il est dans la baignoire. Saisissez toutes les occasions de lui faire prendre conscience que le toucher a du bon, tant pour la santé que pour le bien-être ; accompagnez vos gestes de quelques arguments, puisés dans ce livre, selon lesquels tous les êtres vivants – les enfants aussi bien que les hommes ou les animaux – ont besoin de caresses pour être bien, et qu'elles sont excellentes comme antistress, comme défatigant ou comme antidouleur. Faites-en un convaincu avant d'en faire un officiant. Alors un jour, vous prétexterez un mal de cou ou un mal de dos, et vous lui mettrez le tube de baume dans les mains en lui demandant de vous masser. Surtout n'oubliez pas de le féliciter en faisant des « Hum » d'aise et de soulagement.

Au partenaire de celui qui ne se laisse pas caresser, je suggérerai : faites-vous plus subtile, plus rare. Caressez-le à dose homéopathique, quitte à augmenter progressivement la dose. Soyez attentive à ses réactions pour savoir alléger vos mains, arrêter à temps. Entre votre immense besoin de toucher et son appréhension à l'être, il y a un moyen terme, un accord possible. Et pour l'apprivoiser, choisissez vos moments, passez par le biais d'un massage à l'occasion d'un mal de tête, d'un mal de pied... Et tentez de retrouver l'élément qui, depuis son enfance, a créé ce blocage, voire ce blindage de sa peau. Faites-lui raconter son passé, aidez-le à se libérer.

Vous l'avez remarqué : toutes ces peurs ont à voir avec notre enfance ; l'attitude des autres, en particulier de nos parents, et certains événements ont laissé des traces – des blessures, des « plis » – dans l'inconscient et ces traces déterminent nos émotions et nos comportements ultérieurs. C'est d'autant plus vrai – et regrettable – que la relation parent-enfant et plus spécialement mère-enfant est le prototype de l'intimité. Si la relation fut mauvaise, il a pu se créer une inaptitude ou en tout cas une difficulté à l'intimité.

Si la mère était perturbée (dépressive, abandonnique), elle a pu déterminer un manque de confiance et une incapacité à s'abandonner. Si elle était trop fusionnelle, elle a pu engendrer une peur de se dissoudre dans l'autre ou amplifier un complexe d'Œdipe qui compliquera les relations du garçon avec les femmes. Un père trop fusionnel causera les mêmes complications chez sa fille vis-à-vis des hommes.

Une mère dominante, comme un père trop sévère engendreront un surmoi tyrannique qui interdira à l'avenir toute émotion spontanée, toute attitude tendre, ainsi que toute possibilité de détente. A fortiori, si ces parents trop autoritaires ont exercé des viols de la sphère privée : faire irruption dans la chambre de l'enfant ou de l'adolescent, fouiller ses affaires et lire ses lettres. Rien n'est pire pour l'intimité future que ces traumatismes. Ils sont en tout cas aussi graves que les violences physiques.

Tout au long de l'étude de ces peurs, nous avons vu que pour s'en débarrasser, il fallait fortifier sa personnalité. Nous verrons comment y parvenir au chapitre 11.

Les fantasmes

Font obstacle à l'intimité deux sortes de fantasmes :

— Les fantasmes dont on a honte et qu'on veut absolument cacher car, à la faveur de la proximité, ils risquent d'être dévoilés, soit que le partenaire les devine, soit qu'on se laisse aller à les confier ou pire qu'on en demande la réalisation. Dans un cas comme dans l'autre, on s'expose à être jugé ou même rejeté.

— Les fantasmes qui bloquent la démarche vers le partenaire. Ce peut être le cas de fantasmes homosexuels, car ils réduisent notre appétit pour le partenaire. Ce peut être le fait de fantasmes œdipiens, car ils nous incitent à refouler le désir pour le partenaire présent assimilé au parent envers qui le complexe s'était constitué.

Un travail de recherche sur soi et de structuration de sa personnalité permettra de dépasser ces obstacles.

Les obstacles dans la communication

Une mauvaise communication

Les muets et les sourds

Il y a ceux qui se disent peu : les taciturnes, les peu expansifs, les peu démonstratifs. Ils ne confient guère leurs sentiments non plus que leurs pensées, et ne manifestent quasi pas leurs émotions. En se retenant de dire ce qui se passe spontanément en leur vie intérieure, ils appauvrissent les échanges ; en se retenant de dire ce que produit en eux l'intervention de la (du) partenaire – ses caresses, ses confidences –, ils font pire : ils risquent de tarir les échanges, car l'autre a besoin de savoir si ce qu'il donne est bon et juste, et si ce qu'il dit est compris et sera suivi d'effets. Il n'y a pas d'intimité profonde et durable sans dialogue des bouches et des corps.

Il y a aussi ceux qui écoutent peu et donc entendent mal les mots de l'autre, ses gestes, ses caresses. Parmi eux, il y a ceux qui n'écoutent que leur propre discours et leurs propres émotions, en un mot, ceux qui ne s'intéressent qu'à eux. Et ceux qui, débordés par leur foisonnement émotif ou mental, rétrécissent leur temps d'écoute. Et ceux qui, stressés, ne savent pas se détendre assez pour s'ouvrir à l'autre. Et enfin, ceux qui sont sortis de l'amour.

Pour améliorer les échanges, il faudrait que le taciturne et le mal-écoutant essaient de se transformer. Demander au taciturne de faire un effort pour s'extérioriser et se dire ne suffit pas ; il est préférable qu'il sache que son attitude n'est pas vraiment la sienne mais celle de l'enfant réprimé qu'il fut, l'enfant qui n'avait pas le droit de dire ses pensées et d'exprimer ses émotions, qu'il sache aussi qu'il n'a plus rien à faire d'une censure qui lui fut imposée et dont il fit une autocensure ; qu'il sache enfin que, pour libérer ses émotions, il peut passer par un travail thérapeutique ou pratiquer des formes ludiques d'expression, tels le théâtre ou le chant.

En ce qui concerne le mal-écoutant, il est urgent qu'il apprenne les règles d'une bonne communication, dont la première est de savoir écouter. Nous y arrivons.

Les règles du jeu

Une bonne intimité suppose que les échanges soient fluides entre les partenaires. Inversement, toute difficulté relationnelle compromet la qualité voire l'existence de l'intimité. Il est donc fondamental que vous et votre aimé(e) appreniez à communiquer : dire justement les mots justes.

Quelques règles élémentaires de communication vous éviteront bien des malentendus et des brouilles.

Et ouvriront tout grand le canal entre vous et l'autre.

Sachez écouter

Le plus important dans le dialogue, c'est de savoir écouter et entendre. Trop souvent quand nous paraissons écouter, nous sommes en réalité en train de préparer notre réponse – on devrait dire réplique. Réponse inappropriée puisque nous avons mal enregistré ce qui a été dit. C'est un dialogue de sourds. Écoutons donc **vraiment** et entendons :

— entendons ce qui est dit et seulement ce qui est dit, sans interpréter, sans déformer et sans faire de projections ;

— entendons tout ce qui est dit. Ne tamisons pas, n'en retenons pas seulement une phrase ou un mot.

Le plus souvent, nous déformons ou nous tamisons dans un sens qui nous est défavorable, ne percevant que ce qui est susceptible de nous faire mal. Car, nous le savons bien, il n'est pas possible qu'on dise du bien de nous, ni qu'on nous donne des mots d'amour ; nous sommes indignes d'être estimé ou aimé. Du reste, nous ne nous aimons pas nous-mêmes. Il faut dire que notre critique intérieur fait tout pour cela ; le critique intérieur c'est ce monstre abject et quasi increvable que les parents et les éducateurs ont enfoncé dans notre subconscient et qui nous répète depuis notre prime enfance : « Tu es bête, tu es moche, tu vas rater, tu n'as pas de chance, tu as tort, c'est ta faute, tu mens, ça ne m'étonne pas de toi. » En un mot : « On ne peut t'aimer. »

Apprenez à réagir positivement : lorsque vous croyez entendre des paroles qui vous sont défavorables, demandez-vous avec calme – ou demandez à votre interlocuteur, sur le coup ou ultérieurement – si le mot (ou la phrase) a bien été dit comme vous l'avez entendu. Vous verrez le plus souvent que ce n'était pas le cas. Si c'était le cas, replacez-le dans le contexte de la confrontation ou de la journée : peut-être votre partenaire était-il fatigué, irrité ? C'est bien son droit. Soyez généreux, tolérant. Mais pour être tolérant, il faut d'abord se tolérer, autrement dit s'aimer.

Apprenez aussi à recevoir et à accueillir des mots et des phrases désagréables. Êtes-vous aussi innocent et parfait que vous voulez le paraître ? Accepter sa part d'ombre est une façon d'accéder à un lucide amour de soi.

Enfin, apprenez à faire taire votre critique intérieur. Cela aussi passe par l'amour de soi.

Nous voyons que l'amour de soi est fondamental. Nous en reparlerons au chapitre 11.

Évitez le « tu »

« Tu » est une imposture : dire « tu », c'est parler sur l'autre, à la place de l'autre – « Tu es ceci… Tu devrais faire cela… ». Savez-vous réellement qui est l'autre ? ce que l'autre désire ? ce que l'autre doit faire[8] ?

« Tu » est trop souvent de l'ordre du jugement et, en cas de confrontation, il se fait même reproche ou accusation. Donc destruction.

« Tu » est, plus souvent encore, le moyen de faire des projections, c'est-à-dire de jeter sur l'autre la partie de nous que nous réprouvons pour nous en débarrasser. C'est prendre l'autre pour un exutoire, c'est pourquoi il faudrait appeler ces projections des « déjections »[7]. Peut-être que le « défaut » reproché existe réellement chez le partenaire, mais si vous l'avez si bien repéré, c'est qu'il existe en vous et que vous ne l'aimez pas du tout – ce qu'on n'aime pas chez l'autre, c'est ce qu'on n'aime pas en nous. Le jeter à la tête de l'autre en le condamnant nous donne l'impression de nous en défaire.

« Tu » est une façon de fuir ses responsabilités et de se poser en victime, en culpabilisant le partenaire. « C'est de ta faute », « Tu m'as mis dans de beaux draps ». Or nous sommes responsables de notre vie, de ce qui nous arrive. C'est le résultat de nos décisions ou de nos non-décisions.

Utilisez le « je »

Non le « je » égocentrique, mais le « je » de positionnement et le « je » de la responsabilité. J'exprime mes émotions, mes impressions, mes déceptions, mes craintes, mes souffrances. Je fais part de mes souhaits et de mes besoins. Je donne mon avis. Car au fond, je suis le seul être que je connaisse ou devrais connaître et dont je puisse parler. Et il est bon que j'informe l'autre de ce qui est en moi.

Ces règles permettent d'établir un vrai dialogue qui fait avancer les choses.

De l'hostilité

Est hostile celui qui éprouve envers son partenaire des sentiments négatifs, contraires à l'amour, sans être toutefois de la haine ! D'alliés, les partenaires deviennent étrangers, voire ennemis (hostile vient du latin *hostis* qui signifia étranger, puis ennemi). Ce sont certaines attitudes ou certaines paroles de notre partenaire qui nous ont rendus hostiles, en blessant notre amour propre ou en nous donnant un sentiment d'incompréhension, d'injustice, de frustration, de déconsidération ou de trahison. Nous en avons éprouvé une souffrance. C'est cette souffrance qui nous inspire du ressentiment.

Toute dysharmonie conjugale engendre de l'hostilité. Mais il est deux attitudes qui entraînent tout spécialement du ressentiment et une fracture d'intimité :

— **La violence physique :** passer à l'acte en agressant – giflant, frappant, blessant, etc. – sa partenaire entraîne une prise de distance de sa part et une interdiction de la toucher. Il faudra beaucoup d'amour, de douceur et d'humilité pour se faire pardonner.

— **L'infidélité :** la confiance trahie et la blessure ouverte s'opposent pendant un long temps à l'abandon nécessaire à l'intimité. Un travail sur soi sera mené de paire avec la reconstruction du couple si l'on veut aboutir à un véritable pardon, porte d'une nouvelle intimité.

Selon les tempéraments et les situations, l'hostilité s'exprimera de différentes façons.

La dispute

Elle peut éclater sur le coup de l'offense, ou être contenue et éclater ultérieurement à propos d'un incident, souvent mineur. Elle est la réplique à ce qui a été dit ou fait, et qui est insupportable ; il s'agit de faire connaître son point de vue, ou de rétablir la justice, ou d'exorciser sa souffrance ou, aussi, de blesser l'autre à son tour. Elle peut être également une sorte d'exhortation ou de supplique à s'expliquer, à vider l'abcès et à instaurer une vraie communication. Deux issues sont possibles : ou bien la dispute aboutit à la réconciliation suivie d'un contrat de meilleure relation, ou bien elle aggrave les hostilités par les mots durs, voire les violences qu'elle déchaîne ; les nouvelles blessures approfondissent l'animosité.

L'hostilité larvée

On n'a pas pu, ou su, ou voulu, répliquer. On a avalé la vipère, mais elle nous habite : ressentiments, rancœurs, rancunes sont ses noms. À la moindre occasion, elle pointe la tête et crache son venin : vexations, remarques désobligeantes, attitudes offensantes, etc. Tout cela avec l'air de ne pas y toucher, ou au contraire, de façon cinglante. Et, de préférence, devant témoin. Bref, c'est la guéguerre. Les blessures se multiplient, les ressentiments s'amplifient.

L'hostilité-tombeau

On accuse le coup. Pas un mot, pas un geste. On enfouit le traumatisme au fond de soi et on recouvre d'une lourde pierre. Et par-dessus : silence de marbre, raideur pétrifiante. Adieu l'intimité.

Notons que les conflits sont normaux dans un couple, l'agressivité faisant partie de la nature humaine. Ils sont sans conséquences quand on sait communiquer, car la réconciliation véritable ne tarde guère. Ils peuvent être redoutables si on entre dans les représailles.

Pour éviter ces situations pénibles, voire mortelles, il faut apprendre à gérer les conflits. Ici aussi quelques règles simples, extrapolées des règles de communication précédemment proposées, changeront radicalement l'évolution des confrontations :

1. **Écoutez vraiment** et entendez ce que l'autre dit, son vécu, son avis, ses propositions.

2. **Ne parlez pas sur l'autre.** N'employez pas le « tu » qui juge, reproche, accuse.

3. **Parlez de vous.** Utilisez le « je » qui exprime votre ressenti, votre opinion, vos souhaits. Et vous responsabilise.

4. **Ne faites pas de projections.** Ce que vous combattez chez l'autre c'est, en vérité, votre ombre que vous avez projetée sur lui. Ce dont vous accusez l'autre est cette part de vous que vous n'aimez pas et que vous voulez lui refiler. Vous prétendez représenter le « bien », car le « mal » en vous vous est insupportable ; vous vous le cachez et le cachez aux autres,

mais vous n'hésitez pas à le faire porter par l'interlocuteur. De vous, il ne faut voir que la belle image.

Cette prise de conscience des mécanismes conflictuels va vous permettre de les dégonfler et de les stopper. Supposons que votre partenaire vous accuse d'être menteur – menteuse. Au lieu de vous insurger, acquiescez : « OK, je suis menteuse – menteur », mais acquiescez sérieusement, posément. Accueillez ce qui pourrait être une accusation pénible, ternissant votre image – celle que vous avez de vous et que vous voulez donner –, comme une occasion de vous interroger sur cette part d'ombre qui est vôtre et que vous avez toujours déniée et, plus généralement, comme une opportunité de vous remettre en cause et de mieux vous connaître. Et de dire : « Oui, je suis peut-être menteur(se) –, je vais y réfléchir. » Et réellement vous intégrez l'hypothèse et vous y travaillez. Là-dessus vous passez à un autre sujet ou vous vous esquivez calmement. Cette prise de position aura un premier effet immédiat : c'est de désamorcer instantanément le conflit.

Les effets secondaires sont très importants aussi : oser intégrer vos identités négatives vous apportera beaucoup :

— **Ça vous libérera** : vous ne serez plus obligé de lutter pour maintenir votre belle image d'être parfait, image qui vous emprisonnait et vous épuisait. De toute façon, il y a longtemps qu'on connaissait vos imperfections.

— **Ça vous rendra invulnérable**. Les reproches qu'on pourrait vous faire ne vous toucheront plus guère, alors qu'avant vous les ressentiez comme une blessante révélation de ce que vous refusiez de voir par un interlocuteur qui n'était pas dupe ; d'ailleurs bientôt, votre propre remise en cause vous ayant permis de vous améliorer, on ne pourra plus vous faire ce reproche.

— **Enfin, ça vous offre la chance**, justement, de vous occuper une bonne fois de vos imperfections et donc de progresser.

Oui, d'accepter sa part d'ombre constitue un important progrès de conscience.

Pour finir, sachez que ce qui rend les conflits si aigus, si douloureux – ou même les déclenche – c'est une infâme combinaison d'émotions négatives, les unes issues du présent, les autres remontées du passé : les frustrations accumulées en cette période de crise, les blessures de l'ego (les critiques de l'autre nous font douter de notre valeur), et les blessures de l'enfance (le comportement de l'aimé(e) nous rappelle celui de notre mère quand elle ne nous aimait pas de la façon absolue dont nous rêvions ou quand elle nous dévalorisait).

La domination

Trop souvent, les relations entre les partenaires prennent l'allure d'une lutte pour le pouvoir, émaillée d'épreuves de force, le plus fort imposant sa domination. Notons que « le plus fort » c'est aussi bien celui qui détient les sources de revenus, que le plus égoïste, que le moins sensible, que le plus autoritaire, le plus destructeur, le plus prédateur... que le moins amoureux. Qu'importe, le dominant imposant sa loi, l'autre devra se soumettre à sa volonté, à ses goûts, à ses choix, à son emploi du temps ; il devra se mettre à son service ; il ne devra s'intéresser qu'à lui. Mais le dominant, lui, refusera d'entendre les besoins de l'autre. En plus, il est possessif et jaloux, ce qui l'entraîne à exercer un contrôle sur l'autre. Autant le sentiment juste d'appartenance réciproque est constitutif de l'amour, autant la possessivité en est exclue. Dans la société patriarcale, c'est l'homme qui était le dominant, voire le maître, et la femme la soumise, l'exploitée, voire l'esclave. Une véritable intimité ne peut s'accommoder de ce type de rapport, entre autres choses parce qu'un dominant ne peut connaître et encore moins reconnaître les besoins de l'autre[9].

En cette période de fin de patriarcat, où s'invente un nouveau couple, le pouvoir désormais est partagé et l'accent est mis sur la relation. Ce qui augure bien de l'intimité.

De diverses activités qui gênent l'intimité

Trop demander, être exigeant et insatiable, en un mot être « panier percé »

Le risque est de lasser et d'épuiser et le partenaire, et la relation. Demandez-vous plutôt les raisons de ces besoins excessifs et travaillez sur vous. Fortifiez votre personnalité, devenez autonome – voir le chapitre 11.

Trop se plaindre, trop pleurer
jusqu'à devenir fontaine intarissable

Les risques sont les mêmes que ci-dessus. Et le travail à faire le même.

Trop coller à l'autre, avoir en permanence
envie de le toucher, d'être contre lui

Si l'autre aime cela, c'est OK. Si ça l'agace ou pire, si ça l'indispose et qu'il vous rejette, espacez vos caresses et câlins, laissez-lui des plages d'isolement. À chacun son tempérament. Interrogez-vous sur l'origine de votre comportement, de votre besoin de symbiose, renforcez votre autonomie. Essayez aussi de comprendre le pourquoi du comportement de l'autre.

Trop parler, bavarder, se saouler
et saouler l'autre de mots

Faites donc des pauses et apprenez les vertus du silence. Demandez-vous pourquoi vous parlez tant : voulez-vous étourdir votre peur de l'intimité ? Voulez-vous dresser un mur verbal pour vous protéger de ce que l'autre pourrait vous dire ? Avez-vous peur du silence ? Un silence où l'autre entendrait ce que vous voulez cacher ? Un silence où vous entendez ce qui émane de l'autre ?

Trop remuer, être trop nerveux

Vous avez le droit de « ne rien faire ». Apprenez à vous détendre. Initiez-vous à la relaxation. Demandez-vous pourquoi vous avez des difficultés à vous poser :

question de tempérament ? Peur d'être rattrapé par vos problèmes, vos angoisses... ? Votre activité frénétique ne serait-elle pas une façon de fuir votre monde intérieur ?

Être ennuyeux, ne rien dire, ne rien faire, n'avoir rien à faire sentir ou ressentir

Ce n'est pas drôle pour l'autre. Pourtant vos mains sont des mines de caresses et votre peau une planète de sensations. Alors peut-être êtes-vous bloqué ? Libérez-vous, débarrassez-vous de la carapace de l'enfant réprimé, du complet trois pièces du P-DG, de l'uniforme du chef ; débarrassez-vous de ces protections ; débarrassez-vous de la honte et de la raison. Laissez parler votre cœur, il a tant à dire ; laissez vivre votre imaginaire, il a tant à inventer ; laissez monter vos souvenirs, ils ont tant à vous apprendre. Nourrissez-vous sans cesse aux sources généreuses que sont : les livres, les spectacles, les expositions, les voyages, et offrez toutes les richesses à votre partenaire.

Être négatif, juger, dévaloriser, accuser, être jaloux, être méchant, être rancunier

Tout cela est incompatible avec l'intimité, est contraire à la confiance qu'elle suppose. Pour vous purger de ces sentiments négatifs, apprenez à vous aimer (voir le chapitre 11).

En ce qui concerne l'obstacle important que constitue l'usure du couple (du désir, des sentiments), il est si important que nous lui consacrerons le prochain chapitre.

DES CAS PARTICULIERS

Il est des structures mentales qui peuvent plus particulièrement gêner l'intimité. Heureusement, elles pourront être amendées. Nous dirons « il » par convention, mais ces structures concernent les femmes autant que les hommes.

Le « moi » fragile

Il fuit l'intimité ou, s'il s'y prête, il ne peut s'y abandonner, perdant ainsi les bénéfices qu'il pourrait y trouver. C'est qu'en effet pour protéger son noyau mou des atteintes extérieures, il s'est entouré d'une carapace. Mais s'il peut ainsi mieux résister aux viols, aux invasions et à l'engloutissement émotionnel par des tiers et éviter d'être submergé par ses propres émotions, il n'en reste pas moins vrai que cette carapace fait obstacle aux échanges intimes.

L'affamé

Il est avide d'intimité et d'amour jusqu'à être insatiable. Est-ce une question de tempérament ? Est-ce un besoin archaïque, c'est-à-dire remontant à une enfance où, par manque d'amour, leur évolution affective a été bloquée au stade oral ? Cette personnalité « orale » ou « abandonnique » recherche une relation fusionnelle, symbiotique ; son besoin excessif le rend exigeant et inquisiteur (« Est-ce que tu m'aimes ? », « À qui penses-tu ? », « Que ressens-tu ? ») ; il vit l'amour sur le mode de la dépendance et de la possessivité ; il vit pour l'autre et à travers l'autre, jusqu'à oublier sa propre existence. Une telle attitude inquiète le partenaire qui, craignant d'être envahi ou absorbé, aura tendance à esquiver les situations d'intimité, voire à fuir le personnage.

Il s'agira, pour cet affamé, de travailler de façon à retrouver une autonomie, c'est-à-dire à vivre par lui et par lui d'abord. Il pourra alors respecter et même apprécier l'autonomie de son partenaire ; il aura compris que faire des choses l'un sans l'autre, ce n'est pas les faire l'un contre l'autre. Aussi au moment de l'intimité, il acceptera que l'autre soit différent et qu'il ait besoin d'espace et de silence ; son mutisme et sa réserve ne l'empêchent pas d'aimer, à sa façon. Dès lors, au lieu de se plaindre de l'attitude de son partenaire, il osera se demander si ce n'est pas lui qui a un besoin excessif de proximité et de réassurance.

Le cérébral

Chez lui, la tête prédomine sur le cœur et les sens. Rationnel, il considère que l'intimité est un jeu inutile, superflu. Et il s'en défend.

L'obsessionnel

Il a un besoin maladif – permanent et impératif – d'ordre. Il s'entoure d'habitudes bien établies, observant dans les actions un véritable rituel. Il tranche et classe de façon manichéenne. Autant de comportements qui le sécurisent.

Tout cela est contraire à la relation amoureuse intime, faite de spontanéité, d'imprévu, de fluidité, de nuances et de demi-teintes.

Le phobique

Il y a cinq ans, Laurence a été victime d'un accident de voiture et gravement blessée. À son arrivée à l'hôpital, on avait considéré qu'elle était inopérable et en état de coma dépassé. Toutefois, un chirurgien avait tenté l'impossible et elle avait survécu. Du reste, amputée de la moitié de son foie, de la moitié de son pancréas et privée d'un rein, elle-même se considérait en survie. Aussi vivait-elle dans la peur que des microbes ne s'attaquent à ce qui lui restait de viscères. Ce qui ne l'empêchait d'avoir une libido bien vivace. Il arrivait que son désir de l'homme soit tel qu'il la pousse à faire des avances très directes.

D'abord surpris, l'homme se réjouissait bientôt de l'aubaine. Il allait vite déchanter. « Quand j'ai voulu l'enlacer, raconte Jérôme très traumatisé par cette rencontre, elle s'est dégagée, prétextant qu'elle étouffait. Et quand j'ai voulu l'embrasser, elle tourna la tête, en disant : “Tout à l'heure”. Comme elle continuait cependant à manifester et à dire son désir, je lui ai proposé de gagner la chambre. Elle a accepté mais me demanda de lui apporter un rouleau de Sopalin et un bol rempli d'eau vinaigrée. Elle me fit poser le bol sur la table de chevet ; elle me dira ultérieurement qu'il était destiné à éloigner les microbes. Quant au Sopalin, je n'ai pas tardé à en connaître l'usage : après chaque baiser – dents serrées, langues interdites – elle s'essuyait les lèvres. J'ai alors décidé de m'intéresser, sans autres préludes, à son sexe, mais ma main a rencontré des cuisses hermétiquement fermées. Renonçant à toute autre approche, je me réjouis de la perspective de passer au moins quelques moments de tendre intimité, l'un contre l'autre ; mais quand je voulus la prendre dans mes bras, elle recula : la nuit, dit-elle, mon corps subtil se recharge, si tu es trop près, l'énergie ne peut circuler. »

Il faudra à Laurence travailler pour se débarrasser de sa phobie et accéder au bonheur de l'intimité. D'une façon générale, les phobiques fuient les situations d'intimité et particulièrement les contacts.

Le Don Juan

En collectionnant les conquêtes féminines, le Don Juan veut se prouver qu'il peut séduire. Certains avancent même qu'il veut affirmer une virilité incertaine et contrer une tendance à l'homosexualité. Quoi qu'il en soit, l'intimité qu'il propose entre dans sa tactique de manipulation de la femme, mais ne constitue nullement un échange authentique et moins encore un don ; l'autre reste un objet. À noter que les femmes peuvent également être Don Juan.

L'hystérique

Bien que l'on trouve de plus en plus d'hommes hystériques, nous décrirons ici l'hystérie féminine. L'hystérique promet beaucoup, mais ne tient guère. C'est une séductrice, voire une allumeuse, mais son corps se défile à un moment ou un autre : il n'entre pas vraiment dans les tendres échanges ; quant à l'orgasme, il renâcle à s'y laisser emporter. Elle n'aime pas non plus chérir le corps de l'autre et le caresser. C'est dire qu'elle n'est pas prédisposée à l'intimité.

À la base de cette structure et spécialement de ses difficiles relations à l'homme, on trouve des fantasmes de père-amant élaborés depuis l'enfance. Un travail sur elle pourrait l'en libérer et lui ouvrir le ciel de l'intimité.

Chapitre 9

L'USURE DU DÉSIR

Parmi les forces mobilisatrices qui nous poussent à entrer en intimité avec un autre humain, le désir est le plus puissant. Aussi est-il important de voir comment il s'use et comment prévenir cette usure.

« Le mariage tue le Prince charmant », dit l'adage populaire. Il est vrai que la cohabitation permanente, les habitudes prises, voire la routine, érodent le désir : toujours la même personne, les mêmes gestes, les mêmes mots, le même corps. L'usure est-elle une fatalité ? Non, en analysant les diverses causes de lassitude, nous allons voir qu'il existe pour chacune un remède curatif et même préventif.

La déflation des sentiments

L'exaltation sentimentale des débuts de l'amour s'apaise. Toutefois, chez certains, les sentiments, sans être aussi passionnés, restent vifs toute la vie ; et l'on entend des partenaires de trente ou cinquante ans dire avec ferveur et bonheur : « Oui, j'aime toujours mon mari », « Bien sûr que j'aime toujours ma femme ». Inversement, chez d'autres, l'intensité des sentiments baisse jusqu'à atteindre un niveau insuffisant pour entretenir un lien satisfaisant entre les partenaires ; or s'il n'est pas doublé d'un lien affectif, le désir perd de sa qualité et, à la longue, il se réduit à un besoin physiologique.

Il ne faut jamais croire que le sentiment, quand il s'effondre ou paraît s'éteindre, est perdu irrémédiablement ; c'est dans sa nature de fluctuer. On a vu souvent des êtres séparés pendant des années se retrouver et brûler à nouveau ensemble. Les conseils que je vous donnerai à propos du désir et de la relation permettront également de réchauffer les sentiments car tout est interdépendant : par exemple, de régénérer le désir peut revivifier l'affection.

Surtout, je voudrais dire que le sentiment ne résume pas l'amour, et dénoncer le « tout sentiment » qui sévit en Occident et les aspects infantiles de ce sentimentalisme. Nous n'avons pas réellement de culture de couple et notre conception de l'amour a pour références des passions malheureuses : celle de Tristan et Iseult, celle de la Princesse de Clèves, celle de Madame Bovary, etc. Autant d'histoires sentimentales vouées à la souffrance et à l'échec. Les états d'âme qui agitent ces êtres – cette enflure de l'ego, ces projections, ces illusions, ces confusions puériles, cette subjectivité, cette pusillanimité – ne sont pas de l'amour, ils sont même le contraire de l'amour véritable.

Même lorsque le sentiment s'épure et accède à plus de générosité et de hauteur, il ne peut suffire à entretenir la vitalité d'un couple ; quelque chose de plus important doit relier les deux partenaires : la relation qu'ils établissent entre eux. Si j'ai plaisir, si je trouve un intérêt à vivre avec elle, avec lui, c'est qu'elle – il – m'écoute et m'entend, c'est qu'elle – il – a des choses à me dire, c'est qu'elle – il – m'aide à me connaître et à me faire progresser sur mon chemin de conscience.

L'AFFADISSEMENT DE LA RELATION

Même a minima, la relation existe toujours ; le malheur c'est qu'avec le temps, faute de l'entretenir, on la laisse péricliter. On connaît, dit-on, « à fond » son partenaire, son passé, ses pensées, ses sentiments, ses goûts, ses réactions, son caractère. Or sans inconnu, sans imprévisible, il n'y a plus d'attente, plus de séduction. Alors la paire de partenaires, après avoir raté son couple, devient un « ménage » qui s'ennuie au quotidien.

Heureusement, il est possible de sauvegarder et de développer la relation : pour y arriver, je vous engage à travailler dans trois directions.

Renouvelez la relation

C'est une erreur de croire que l'on connaît par cœur son conjoint, l'être humain est tellement complexe et ses facettes, comme ses fêlures, si nombreuses – surtout s'il s'efforce d'évoluer et de se régénérer. Intéressez-vous plus à lui, écoutez-le mieux, regardez toutes ses facettes, épluchez toutes ses pelures. Ne restez pas à sa surface.

Vous-même, cherchez toujours à vous transformer, à vous enrichir et à vous perfectionner sur tous les plans – intellectuel, artistique, spirituel. Plus vous évoluerez et plus vous serez multiple, plus vous serez inépuisable et plus vous serez attractive et désirable, et plus la relation sera vivante.

Préservez votre part de mystère

Ce qui ne se laisse pas saisir est éternel. Ne soyez pas complètement transparent. Ne soyez pas quelqu'un qu'on peut connaître par cœur, qu'on peut cerner facilement, quelqu'un de totalement lisible et prévisible. Soyez plutôt quelqu'un d'insaisissable, d'abondant, de surprenant. Pour cela renouvelez-vous comme il a été dit ci-dessus : évoluez, progressez, enrichissez-vous, multipliez-vous, devenez kaléidoscope. Sachez que pour se renouveler, il ne suffit pas de puiser à l'extérieur des éléments nouveaux et de les faire siens ; il est encore plus régénérant d'aller puiser en soi et de se connaître toujours mieux. Plus on se connaît et se découvre, plus on a à dire sur l'humain, plus on suscite l'intérêt des autres, plus on a de l'intérêt pour eux.

Préserver sa part de mystère, c'est aussi préserver son intimité personnelle. Pour cela :

— Évitez le « tout fusionnel ». La fusion permanente aboutit à la lassitude et à la mort du désir.

— Soyez autonome et respectez l'autonomie de votre partenaire. Je sais bien que, pour se sécuriser, on fait tout pour s'attacher l'autre ; mais, paradoxe, quand il est prisonnier, on ne le désire plus.

— Entretenez votre jardin privé. Ce n'est pas mener une « double vie », c'est continuer d'exister et d'évoluer en tant que personne à part entière : poursuivre les recherches vous concernant, épanouir vos propres talents, vous accomplir. Concrètement, rendez les choses possibles en vous accordant du temps pour vous, un espace à vous. Bien entendu, à côté de votre intimité personnelle, vous partagez avec votre conjoint une intimité commune nourrie de projets communs et de co-créations.

— Ne dites pas tout. Ne pas tout dire, ce n'est pas faire des cachotteries. C'est dire ce qui est constructif pour le couple, c'est respecter l'autonomie de l'autre et sa propre autonomie. Même si vous aimez énormément votre partenaire, ne le lui dites pas trop ni trop souvent, ne multipliez pas les aveux et les serments. Ce gavage pourrait étouffer votre aimé(e) ou réduire son intérêt pour vous. Un zeste d'insécurité, voilà ce qui maintient l'amour en éveil.

Ne noyez pas votre relation amoureuse dans le bain de la famille

L'arrivée des enfants fait que, mère et père devenus, vous voilà positionnés « en famille ». Absorbés par les demandes des enfants et les travaux domestiques, vous risquez de ne plus avoir d'intimité de couple, non plus du reste que d'intimité personnelle.

D'autant que subrepticement votre mentalité a changé ; vous êtes dans la peau d'une mère ou d'un père – comme l'étaient vos parents, dont l'image vous colle ; maintenant c'est sérieux et il est malséant de se livrer à des jeux puérils, voire polissons et de faire des câlins en « aparté ». Faire l'amour, passe, la nature est impérieuse et ça ne prend pas tellement le temps ; mais les divertissements de l'intimité, les tendres caresses et les douces confidences, c'est moins important et ça demande plus de temps. Et un jour, sans vous en apercevoir, vous appellerez votre mari « papa » et il vous appellera « maman ». Mais dès lors comment désirer « papa » et comment faire l'amour à « maman » ?

Si vous voulez continuer de vous situer en couple, commencez par vous interdire d'appeler votre conjoint « papa » ou « maman » ; appelez-le, appelez-la par son prénom ou un autre doux nom. Et quand vous vous adressez à vos enfants, au lieu de leur dire : « Demande à papa » et « Va chercher maman », précisez : « Demande à ton papa » et « Va chercher ta maman ». Et veillez à vous accorder des moments de légitimes et nécessaires intimités.

La banalisation des corps

Ce corps convoité parce que interdit, parce que inconnu, ce corps si affolant parce que affriolant, ce corps si enivrant parce que nouveau, ce corps est là maintenant, consommable à souhait de jour comme de nuit, depuis trop longtemps et pour toujours. Ce corps est là trop connu, négligé souvent. Moins désirable, moins désiré.

Il faut absolument prévenir cette banalisation.

Ne négligez pas votre aspect extérieur

Quelques définitions du dictionnaire (*Le Robert* en 12 volumes) amènent à réfléchir :

— « Négliger quelqu'un : traiter quelqu'un sans la considération et les égards auxquels il aurait droit. »

— « Négliger une chose : ne pas lui accorder l'importance qu'elle mériterait. »

— « Se négliger : ne pas avoir soin de sa personne, de sa toilette, être mis sans goût, sans la moindre élégance. »

— « Beauté négligée : femme qui ne se soucie pas de mettre sa beauté en valeur par l'ajustement, la parure. »

Oui, ne négligez pas vos vêtements, vos cheveux, votre peau. Ne vous « laissez pas aller ».

Rappelez-vous que c'était sa façon de se présenter, de se parer, bref, son élégance, qu'elle soit simple ou élaborée qui, en soulignant sa personnalité et son attrait, avait attiré notre regard et branché notre instinct. Or le vêtement n'est pas fait que pour se vêtir. Son rôle est aussi de souligner les signaux sexuels : arrondir la gorge, marquer la taille, mouler les hanches. Pour ce qui est des talons hauts, ils ont pour but d'allonger les jambes et de cambrer les reins pour faire ressortir les fesses. Quant au maquillage et à la coiffure, il est évident qu'ils visent à renforcer les signes sexuels que constituent la bouche, les yeux, les ongles et les cheveux. Inversement, le laisser-aller efface tout ce qui en surface accroche le regard, réduisant du même coup le sex-appeal. La perte de « désirabilité » fait fuir le désir.

Il y a « négligé » et « négligé » : certains peuvent faire monter le désir. Surprendre votre mari occupé à tronçonner des bûches dans le plus élimé des jeans peut vous donner soudainement envie de le renverser dans la sciure. Sans doute, dans toute femme sommeille une Lady Chatterley. Inversement, le fait de vous découvrir en train d'épousseter la salle à manger dans une vieille robe moulante, si moulante qu'on y perçoit votre nudité, peut brusquement inspirer à votre mari le désir de vous prendre sur-le-champ. Tous les hommes recèlent au fond d'eux-mêmes un penchant pour les amours ancillaires... quand ce ne sont pas de vieux fantasmes de droit de cuissage.

Mais vous l'avez compris, ces négligés excitent parce que, justement, ils sont exceptionnels. N'en faites pas un uniforme quotidien, sinon, bonsoir le désir ! Ne tombez pas non plus dans l'autre extrême, qui consisterait à être tiré(e) à quatre épingles du lever au coucher. Il n'y a rien de moins excitant que ces femmes ou ces hommes en permanence intouchables pour cause de plis à ne pas froisser, de maquillage à ne pas brouiller, de coiffure à ne pas embrouiller. « Attention à mon rimmel », « Tu chiffonnes ma cravate ». Quand c'est trop fréquent, cela tue la spontanéité. Entre le laisser-aller et le sophistiqué, il y a place, à la maison, pour une tenue simple mais agréable à voir, et qui laisse le désir sourire[6].

Ne galvaudez pas votre nudité

Votre corps – et spécialement le vôtre, madame – est une anthologie de signaux sexuels ; il faut en user précieusement. Si la vue d'une femme nue déclenche le désir masculin, c'est que la nature, en dessinant sur le corps de la femme un maximum de signaux, a réalisé du grand art. Les seins, par exemple, sont un chef-d'œuvre d'attirance : ces trois cercles concentriques de diamètre dégressif, de coloration progressive et de relief varié (le sein, l'aréole, le mamelon), quoi de plus subtilement élaboré en vue de retenir l'attention ? De plus, ils sont plaqués sur le haut du corps, en avant-scène. Quoi de plus spectaculaire ? Par ailleurs, la permanence d'un sein plein et rond étant biologiquement inutile (les animaux femelles n'ont de mamelles qu'au cours de la lactation ; en dehors de cette période, elles n'ont que de simples tétines), le sein féminin est donc bel et bien un « appel d'offre ». Du reste, il se trahit ce sein, quand lors des ébats amoureux, il gonfle d'un quart, fait saillir son aréole et enfle son mamelon. Cachons donc ce sein en dehors des amours, car le montrer à tout va banalise ses signes et réduit son pouvoir érogène. Décidément, la nature adore les cercles et les cibles. Regardez le dessin que trace le contour de l'abdomen et, à la suite, le galbe des hanches, puis la courbe des cuisses : c'est un cercle. Au centre, pointée par le triangle de la toison pubienne, la vulve, invisible. Il fallait bien que l'indique un véritable panneau de signalisation.

Aussi, ces signaux, ne les offrez aux regards de l'autre que consciemment, électivement. Ne les exposez pas sans attention, sans intention, sans restriction. Ne les montrez pas pour des gestes banals à l'occasion de soins ou de besoins. Ne vous comportez pas comme si vous étiez au gymnase ou au hammam. Ne démystifiez pas les mystères de vos attraits. Réservez votre nudité à l'offrande consciente au mâle. Ici, la pudeur est mère du désir.

Il faut absolument sauvegarder le pouvoir érogène de votre nudité. Évitez de vous comporter comme si l'autre était absent. Pas de déshabillage, d'habillage, d'allées et venues en tenue de peau sous le regard terne d'un conjoint blasé. Pas de toilette complète, non plus que de lavage intime, pas même de shampooing sous ses yeux neutres devenus. Pour tous ces actes, on se tourne, on se cache ou l'on s'isole. Ne livrez pas le nu à l'habitude et à l'indifférence qui en résulte. Réservez-le à la fête des corps. Alors madame, lorsque vous vous effeuillerez, vous verrez son regard s'allumer et un sourire éclairer son visage. Que votre nudité soit toujours le couronnement d'un lent et troublant strip-tease, inspiré par le désir et sans cesse renouvelé. À moins qu'elle ne soit le but impératif d'une envie soudaine, si brûlante que les vêtements doivent s'arracher sans délai. Ce que j'ai dit ici de la femme est, dans le principe, vrai pour l'homme aussi.

Quand on a su protéger sa nudité de l'habitude, quand on a su la garder toujours précieuse, se dénuder à bon escient et par surprise est d'une somptueuse sensualité. Cela peut être simplement la nuisette ou le pyjama qu'on fait glisser avec une innocence feinte ou une espièglerie jouée juste au seuil du lit, avant de s'y lover. Cela peut être, à l'extrême, un véritable spectacle : lent et suave strip-tease improvisé au pied du lit, fabuleux défilé de mannequin avec essayages de robes ou de voilages, danses impromptues la peau habillée seulement de longs colliers de strass ou de coquillages en cœur. En fond sonore : un crooner, une valse ou des percussions dont les mouvements inspirent les pas et les gestes de la dame. Ou du monsieur, car les hommes devraient également se mettre à ces jeux merveilleux. Sidérée, amusée, ravie, excitée, votre compagne vous accueillera bras ouverts entre les draps. Et en redemandera[6].

Sachez user du lit à deux places

Le lit à deux places est la meilleure et la pire des choses. La pire, c'est la cohabitation nocturne vécue comme une situation inévitable, voire une contrainte où il faudra subir les émissions viscérales tant sonores qu'olfactives, les mouvements incontrôlés – ruades et cris des rêves et des cauchemars, sauts de carpe des nerfs qui se détendent, agitations incessantes des jambes impatientes, etc. –, les lectures tardives et les soirées télé prolongées. En outre, n'y a-t-il pas dans la cohabitation du lit le risque de mithridatisation, autrement dit de désensibilisation du toucher ? À force d'être au contact du corps de l'autre – contact par ailleurs fort agréable en des moments choisis –, ne risque-t-on pas d'y être moins sensible ou de le sentir sans ravissement ? Une sensation, quand elle devient habituelle, ou pis quand elle s'impose les jours où l'on ne le souhaite pas, ne risque-t-elle pas de perdre son pouvoir sensuel et ses vertus énergétiques ? En deux mots, de s'affadir et de s'épuiser ?

Le meilleur peut l'emporter si on fait un bon usage du « biplace ». Malgré les inconvénients dont nous avons parlé plus haut, il peut être l'allié du désir. Dans la nuit qui enveloppe les amants de sa large caresse, le lit est un bain-marie de tendresse. Quel bonheur de s'endormir dans les bras de l'autre et de s'y réveiller. Quel bonheur de sentir au cours de la nuit, au gré des réveils, sa main qui presse la nôtre, son sein qui se niche dans notre paume, sa fesse qui s'imprime sur notre sexe. Et que dire du bonheur des pieds qui se rencontrent, se frôlent, se caressent et se blottissent l'un contre l'autre. Et de la félicité des bouches à portée de baisers, et des baisers que la torpeur teinte d'une si douce volupté.

Dans l'apesanteur du demi-sommeil, les peaux attendries de chaleur, attentives de langueur, se disent, s'écoutent, se lient, s'allient, plus complices que jamais. Par la vertu de ce contact, les êtres s'apaisent et se réconfortent. Si dans cet océan de bien-être survient, comme une lame de fond, un désir plus précis, les corps, sans mot dire, se laissent porter, se recouvrent un temps, jusqu'à l'instant où dans le noir, s'étoile l'éblouissant orgasme. Puis ils se glissent à nouveau dans une commune béatitude plus profonde encore, plus large aussi, jusqu'à ce que le sommeil les reprenne. Alors tout en dormant, ils continuent de se transfuser du bien-être et du réconfort.

Le lit du sommeil est donc l'espace de l'intimité la plus dense, la plus proche, la plus prolongée. Nous y passons huit heures sur vingt-quatre, c'est-à-dire le tiers de notre vie à deux. C'est donc le lieu où, par les sensations tactiles et kinesthésiques, par les odeurs diverses, par les murmures, par la bouche, bref, par tous les sens, les corps s'arriment, les couples s'attachent. Sans oublier que c'est aussi le lieu béni où le plus souvent se célèbrent par mâtines, grand-messe ou vêpres, l'union des sexes.

Ceux dont le concubin est par trop remuant de même que ceux qui de temps à autre aiment à prendre le large, remplaceront le lit de 1,40 m de large par un lit de 1,60 m, fait de deux matelas accolés.

Seuls devraient se résoudre aux lits jumeaux les grands agités, les incurables impatients des jambes, les insomniaques forcenés ou les phobiques du toucher. Si c'est votre cas, prévoyez toutefois l'un des deux lits plus large, afin d'y permettre les ébats érotiques et d'y faire de nouvelles tentatives de cohabitation nocturne. Car vous ne devez pas rester sur vos conclusions passées. « Il m'est impossible de dormir avec lui (elle). » Refaites régulièrement des essais. À dormir séparés, vos corps risquent de devenir en quelque sorte étrangers ; et, coupés de la circulation de tendresse et de sensations qui s'établit entre eux au cours de la nuit, ils pourraient, d'une certaine façon, se dévitaliser. Oui, réessayez et un jour, vous redécouvrirez l'irrésistible jouissance d'un alanguissement partagé, d'un contact illimité, d'un désir dilué à l'infini. Cependant, comme la relation dans un couple doit rester fluide, il est bon de s'autoriser toutes variations dans l'usage du lit, par exemple se permettre des nuits de « chambre à part » pour celui ou celle qui a envie de lire ou de se recueillir dans sa propre intimité.

« L'amour vient en dormant », écrit magnifiquement Jacqueline Keller, qui poursuit : « L'amour respire du côté du sommeil [...] la différence est capitale entre *coucher avec* et *dormir avec* : on peut coucher avec beaucoup ou n'importe qui ; on a envie de dormir avec un seul. » Plus loin : « Aimer c'est déclarer à l'autre "j'ai envie de dormir avec vous" (...) Dormir auprès de l'être aimé, c'est goûter l'éternel en lui ; et c'est rejoindre l'éternel de l'amour.[13] »

Le mariage, allié du désir

Si l'on est prévenu des pièges que le mariage tend au désir et résolu à les éviter, alors l'usure n'est pas inéluctable et les mariés ne sont pas condamnés à l'ennui. Le mariage pourrait même être ce qu'on a trouvé de mieux pour épanouir la sexualité.

Le mariage apporte une sécurité affective et une complicité tout à fait propices au perfectionnement de l'art d'aimer. La confiance installée, la durée de la relation permettent de connaître les besoins affectifs et les préférences de l'autre, de chercher ce qui est érogène en lui ; c'est, en particulier, la durée de l'union qui apporte une chance supplémentaire de trouver le point G et de l'éveiller. Certes, on ne retrouve pas toujours dans les rapprochements ultérieurs le pic d'exaltation des premières fois, mais ce qu'on obtient est d'une autre qualité et s'inscrit dans une sensualité tellement élargie ! Le mariage peut fort bien être le contexte idéal pour bénéficier de rapports sexuels plus agréables. À condition d'y mettre de la créativité. Il en est de même pour la créativité psychique : la durée de la relation pourrait conduire à un approfondissement des échanges. Alors, loin d'être la fin de l'amour, le mariage pourrait être le meilleur moyen de l'épanouir.

Chapitre 10

LES CONDITIONS DE L'INTIMITÉ

L'intimité optima s'obtient lorsqu'un certain nombre de conditions sont réunies. Chacun, pour peu qu'il y travaille, pourra être dans l'intimité comme un poisson dans l'eau.

FORTIFIER SA PERSONNALITÉ

Si vous redoutez de vous glisser dans la peau de l'autre par peur de vous y perdre, si vous appréhendez de laisser entrer l'autre dans votre territoire par crainte d'être envahi, affirmez-vous par un travail personnel. D'autant que si votre noyau est fragile, il vous a fallu durcir votre périphérie et cette carapace interdit les échanges avec votre partenaire. Par contre, quand votre noyau sera solide, vous pourrez ouvrir ou jeter votre cuirasse et laisser circuler les échanges qui se feront fluides, heureux.

Si vous redoutez de vous abandonner de peur de perdre votre liberté, c'est aussi votre moi qu'il vous faudra renforcer, en visant spécialement à devenir autonome. Alors vous oserez vous en remettre à l'autre, certain de revenir à vous quand vous le voudrez.

Se connaître soi-même

Si vous redoutez de vous abandonner par peur d'être découvert, apprenez donc à vous connaître et à vous accepter, y compris votre part d'ombre. Ainsi vous n'aurez plus à craindre que l'autre surprenne en vous ce dont vous n'avez pas vous-même conscience. De toute façon, l'intimité véritable demande une authenticité absolue et de ce fait beaucoup d'humilité. Il n'y a pas à « être à la hauteur », il y a à être soi.

Apprenez également à connaître votre propre corps, ses besoins, ses préférences, ses difficultés. Ainsi, quand vous l'offrirez à l'autre, vous pourrez l'aider à en trouver les arcanes. Aimez aussi ce corps, prenez-en soin, cela vous disposera à l'offrir et cette offrande sera un vrai cadeau.

Au fond, la connaissance et l'estime de sa propre sphère intime – l'intimité personnelle – préparent à l'intimité avec l'autre. Nous y reviendrons.

Développer la confiance en soi

L'intimité nécessite que l'on relâche sa vigilance. C'est donc sur la confiance en vous-même qu'il vous faudra travailler. Vous objecterez qu'il faut aussi avoir confiance en l'autre. C'est vrai, mais quelles que soient les qualités ou les défauts de l'autre, vous ne pourrez vous livrer à lui que si vous avez foi en vous. Un bon test de cette confiance en soi et en l'autre c'est « la marche aveugle ». Un des deux partenaires a les yeux bandés et doit se laisser faire, le second doit se placer derrière lui et le guider à travers la pièce en évitant les obstacles et les murs. Ensuite, on inverse les rôles. « L'aveugle » qui effectue ce parcours avec réticence et en manifestant ses craintes révèle un manque de confiance en lui, autant qu'en l'autre. C'est sur ce fait qu'il devra travailler.

Laisser s'épanouir son anima

L'intimité nécessite qu'on laisse éclore sa sensibilité, sa sensualité et sa tendresse, en un mot sa part féminine. Nous y reviendrons.

Savoir vivre ici et maintenant

Oubliez vos soucis, lâchez pour un temps ce passé qui vous colle et écartez un moment ces « préoccupations » qui vous projettent dans l'avenir. Soyez pleinement dans le bonheur de vos sensations et dans l'échange de vos consciences.

Si vous avez des difficultés à vivre *hic et nunc*, vous pourrez y parvenir par une méthode simple, inspirée de la méthode Vittoz : la pleine conscience.

Deux sortes d'exercices vont vous y mener :

La sensation consciente

L'exercice a pour but de recevoir en pleine conscience une sensation que vous aurez choisie parmi toutes celles que vous envoient vos récepteurs sensoriels. En vous ancrant dans la réalité de votre corps, vous restaurerez votre équilibre psychique. En n'étant attentif qu'à une seule et pure sensation, à l'exclusion de toute autre et de toute idée, et en maintenant votre attention sur elle, elle va finir par s'amplifier et remplir votre champ de conscience. Ainsi vous fermez la porte à toute rumination et à toute invasion douloureuse.

Mettez-vous en condition de réceptivité : pratiquez la respiration à quatre temps (voir page 160), décontractez vos muscles, abandonnez-vous.

Choisissez l'un de vos sens et soyez vigilant à toutes les sollicitations qu'il capte. Vous avez choisi l'ouïe, alors recevez bien consciemment et en totalité les bruits lointains, distinguez-les, analysez-les posément et sensuellement. Puis accueillez les bruits proches, disséquez-les, discernez-les.

Vous avez choisi la vue, alors regardez avec attention les objets lointains, ensuite les proches. Exercez-vous également à palper avec plus d'acuité les objets.

Ne limitez pas vos entraînements à la sensibilité externe, prenez conscience de votre sensibilité cénesthique. Soyez attentif aux sensations qui montent de la profondeur de votre corps, prenez conscience de chacune de ses parties, des pieds à la tête. Qu'il ne soit plus une carcasse que vous habitez par obligation et habitude ; qu'il soit un vrai « chez vous ». On voit l'application que l'on peut en faire dans l'intimité.

L'acte conscient

Choisissez des actes simples de la vie courante : ouvrir une porte, un tiroir, allumer une lampe, couper du pain, manger, marcher. Au lieu de les exécuter machinalement, l'esprit ailleurs, faites-les de façon pleinement consciente. Par exemple : « J'empoigne la poignée de la porte, je vois sa blancheur, je sens sa fraîcheur, son arrondi, je la tourne, etc. ». Pratiquez aussi des « marches conscientes » : j'avance un pied, la jambe suit, puis le côté correspondant de mon corps, tandis que le bras part en sens inverse, je pose le pied, je sens la solidité du sol, je m'y assure, il me rassure, j'avance l'autre pied. Faites également des « repas conscients », des « lectures conscientes » à voix haute, etc. En ce qui concerne le cas particulier de l'intimité, chaque geste sera fait en pleine conscience : se déplacer, toucher, parler, etc.

En écartant les automatismes, en vous obligeant à être présent à ce que vous faites, l'acte conscient donne un coup de frein à la rumination mentale, à l'obsession d'une idée et au désordre émotionnel. Vittoz propose bien d'autres exercices, parfois plus élaborés, mais toujours pratiques. À force de répéter l'exercice, chaque jour, comme on fait des gammes, les attitudes apprises deviennent une seconde nature.

En cas d'agression, de perturbations affectives, les réflexes acquis nous permettent de rétablir aussitôt l'équilibre.

La sensation plénière et consciente, en ramenant la pensée à l'ici et maintenant, s'oppose au vagabondage des idées et à l'inflation des sentiments ; or, c'est cette dérive cérébrale et cette hypertrophie émotionnelle (ressentir plus que sentir), qui épuise le cerveau, déforme le jugement et altère la sensation elle-même. En étant totalement présent à sa conscience, on repose son cerveau, on retrouve une vision naturelle et juste des choses. Ainsi la sensation équilibre la pensée qui, à son tour, contrôle la sensation. Ainsi s'harmonisent l'esprit et le corps. Au total ces exercices apaisent les tensions plus facilement que toutes les autres méthodes de relaxation.

Si cette méthode ne suffisait pas à vous apprendre à vivre au présent, adressez-vous à la « *Gestalt*-thérapie », une psychothérapie plus élaborée, mais ancrée dans le concret.

Se donner les moyens d'accéder à l'intimité

Si vous avez des difficultés pour vous détendre, pratiquez la respiration en 4 temps.

Un exercice simple mais efficace : inspirez profondément par le nez, retenez votre souffle 8 secondes, expirez par la bouche, retenez votre respiration 8 secondes. Faites cela 10 à 20 fois. Concentrez votre conscience exclusivement sur votre respiration, sentez bien l'air aller et venir, entrer par les narines, remplir vos poumons, puis les quitter et sortir par la bouche ; sentez bien votre thorax et votre ventre s'ouvrir et se contracter. N'ayez que ça en tête.

D'autres techniques pourraient vous procurer une merveilleuse détente : la relaxation, dont il existe de nombreuses modalités, et les massages aux variétés plus innombrables encore. Notez que l'on trouve souvent autant de bien-être à masser qu'à être massé. Pour connaître l'adresse de bons praticiens de ces arts, demandez à votre médecin ou à votre kinésithérapeute, ou voyez les annonces des magazines de psychologie. Sachez que de plus en plus d'esthéticiennes pratiquent avec cœur les massages. Le but est toutefois que chacun des partenaires apprenne ces techniques pour se les offrir réciproquement [5].

Si vos blocages se révèlent infranchissables, décidez-vous à faire une psychothérapie afin de vous en libérer.

Créer l'ambiance

Le plus souvent les moments d'intimité sont spontanés et improvisés. Les plus réussis sont inspirés par une ambiance particulière : la lumière nouvelle d'une aube printanière porteuse du parfum des premières fleurs, la chaleur alanguissante d'une nuit d'été qu'emplit le chant d'un rossignol, l'atmosphère très « lune de miel » d'une auberge au cours d'un voyage, les multiples caresses d'un feu de bois, dans un gîte de campagne, l'élévation commune née de la visite d'une cathédrale, que sais-je ?

Alors pourquoi ne pas projeter et provoquer ces moments privilégiés qui recèlent tant de chances d'intimité : partir en week-end, partir en voyage, aller à la rencontre de la nature ou de sites émouvants. Ou même, pourquoi ne pas mettre en scène, à la maison, de temps en temps, les moyens de l'intimité : choisir le décor, les couleurs, les parfums, les musiques propices à la détente, au rapprochement et à l'ouverture des consciences.

La couleur propice à l'intimité est l'orange doux – le ton « tango ». Elle éveille les sens, stimule le désir et accroît l'énergie. On créera une ambiance « tango » en portant des vêtements, des accessoires et des bijoux où ce ton domine, en s'entourant de tissus de ce ton – rideaux, draps, coussins –, en allumant une lampe de cette couleur – ampoule ou abat-jour orange.

La couleur indigo est plus favorable à l'intimité psychique – intellectuelle et spirituelle. Elle apaise l'anxiété, elle stimule les facultés cérébrales supérieures, elle favorise la communication et porte à une élévation de conscience. Elle va donc inciter aux échanges verbaux et aux confidences d'une certaine profondeur. L'ambiance indigo sera obtenue selon les mêmes principes.

Certaines musiques peuvent également servir l'intimité. On sait que la musique a des effets sur le psychisme : elle réduit la tension nerveuse et l'angoisse, elle provoque la bonne humeur, elle accroît la créativité, elle incite à la communication.

C'est sur ces effets qu'est fondée la musicothérapie ; elle utilise soit des morceaux de musique « normale », soit des compositions spécialement écrites pour avoir un impact sur le mental.

Dans le répertoire classique, vous choisirez la flûte si vous voulez enjouer vos ébats sexuels, le violon ou le violoncelle si vous souhaitez épancher vos sentiments, l'orgue si vous désirez vous élever ensemble. Parmi les musiques modernes, adressez-vous aux percussions si vous voulez un regain d'énergie sexuelle, écoutez une mélodie de synthétiseur si vous avez envie d'échanges affectifs ou optez pour une musique électronique planante si vous rêvez d'une méditation en commun[3].

Les plaisirs du palais ont également d'heureuses conséquences pour l'intimité. On connaît l'effet tout à la fois anxiolytique et euphorisant du champagne et autres vins. On sait aussi que les délices de la table détendent les nerfs et mettent de bonne humeur. Ces bienfaits on les doit aux endomorphines qui accompagnent les réjouissances de la bouche ; en outre, le partage de la nourriture crée une convivialité et une complicité qui préparent, voire incitent à d'autres partages – affectifs et charnels.

Si vous souhaitez que les échanges soient particulièrement « chauds », choisissez donc les mets réputés aphrodisiaques : fruits de mer, œufs sous toutes les formes, céleri, truffes, abricots, pêches. Sans omettre les aromates, ces alliés du désir : basilic, romarin, sarriette, girofle (dit « clou d'amour »), safran, gingembre, cannelle, vanille ; on en imbibera les plats – volailles ou poissons – et les desserts. Comme boisson, commencez par un ratafia de girofle-cannelle, terminez par une tasse de menthe poivrée.

Soyez heureux.

Chapitre 11

L'INTIMITÉ AVEC SOI-MÊME

Pour avoir une bonne intimité avec l'autre, il faut d'abord avoir une bonne intimité avec soi-même.

La capacité d'avoir une heureuse intimité avec soi-même prédispose à établir une intimité heureuse avec l'autre. Inversement, la difficulté à instaurer une bonne intimité avec l'autre vient d'une mauvaise intimité avec soi-même.

Qu'est-ce avoir une bonne intimité avec soi-même ? C'est d'abord être bien dans son corps, le connaître, l'accepter et l'aimer tel qu'il est, le respecter et en prendre soin. C'est aussi être bien dans sa tête, se connaître, s'accepter en totalité, sa part d'ombre comme sa part de lumière, et viser à développer ses dons et à réaliser ses aspirations.

NE PAS S'AIMER

La mauvaise intimité avec soi vient de ce que l'on ne s'aime pas assez, son corps comme son psychisme.

Trop de gens n'aiment pas leur corps et ont du mal à entrer vraiment en contact avec lui. Ils ne l'écoutent et ne le sentent que dans les moments forts de la sexualité. Certains croient avoir des raisons de le détester : un visage disgracieux, une silhouette trop grosse, une taille trop petite, des seins trop volumineux ou trop réduits, etc. ; ils sont hantés par ces imperfections. D'autres aiment leur corps en dépit de ses défauts. D'autres, enfin, qui ont un corps parfait le détestent quand même. Ce ne sont donc pas seulement les imperfections qui produisent la mésestime de soi, c'est aussi le regard qu'ont porté sur nous nos parents. Si le père ou la mère n'ont pas valorisé le corps de l'enfant ou pire s'ils l'ont dévalorisé, leur avis est inscrit au fer rouge sur son front et sur celui de l'adulte qu'il deviendra.

Sur le plan psychique également trop de gens ne s'aiment pas vraiment. Ils sous-estiment leurs qualités et ne voient que leurs défauts. Ils font des « complexes » (d'infériorité, d'incapacité, de culpabilité), voire des névroses d'échec. Certains pratiquent l'autodénigrement : ils disent du mal d'eux-mêmes (ce qu'il ne faut jamais faire, car il en reste toujours quelque chose chez les autres) ; ils pratiquent même l'autopunition : « C'est bien fait pour moi si j'ai raté telle chose. » Ici aussi c'est l'attitude des parents qui a été déterminante. C'est eux qui ont délivré l'estampille indélébile « cancre », « incapable », « non aimable ».

Ajoutons que beaucoup de gens ne se connaissent pas réellement : ils ne savent pas vraiment qui ils sont, ce qu'ils aiment, ce qui leur fait plaisir, ce dont ils ont besoin, ce qu'ils veulent. Ils ne savent donc pas s'occuper d'eux-mêmes. S'ignorer c'est aussi une façon de ne pas s'aimer.

Les conséquences de ce manque d'amour de soi sur l'intimité sont multiples :

Celui qui ne s'aime pas se trouve dans le besoin d'être aimé

Il demande à son partenaire de l'aimer à sa place et se montre aussi excessif qu'insatiable. Il attend toujours des preuves d'amour, il guette les mots, épie les gestes. Il lui faut sans cesse des confirmations, des réassurances. Il a peur de perdre l'être aimé, il vit dans l'inquiétude et panique à la moindre apparence de désaffection. Du reste, il s'attend à être abandonné : il interprète les phrases et les attitudes dans un sens qui lui est défavorable, il ne retient que ce qui témoignerait d'un désamour et confirmerait qu'il ne peut être aimé. On dit qu'il *tamise*. Du coup son humeur est instable, il passe vite de l'exaltation à l'effondrement, de l'adoration aux récriminations. Son partenaire, d'abord surpris, ne sait pas sur quel pied danser, puis, blasé, il n'accordera pas plus d'importance aux adulations qu'aux reproches. Ainsi, ce panier percé, non content d'étouffer et d'épuiser son partenaire, le désoriente. Ce qui n'est pas très bon pour l'intimité.

Souvent, celui qui est dans le besoin d'amour cherche à se rendre « aimable ». Pour cela, il se fabrique une belle façade. Voulant séduire, il soigne particulièrement ses apparences : vêtements à la mode, maquillage élaboré et autres soins d'esthétique. Voulant se faire admirer, il recherche les belles situations et acquiert nombre de biens. Hélas, l'intimité requiert des êtres authentiques et se situe dans l'être et non dans le paraître.

Celui qui ne s'aime pas risque, à l'inverse, de ne pas savoir se laisser aimer

Explication : pour ne plus souffrir de ses manques, de ses frustrations, il s'est coupé de ses sens et de son cœur ; et pour se protéger de l'extérieur, des violences infligées, il s'est forgé une carapace. Il ne se sent plus, il ne sent plus les autres. Ses sensations et ses sentiments lui sont imperceptibles. Cette dureté est incompatible avec l'intimité.

Il arrive aussi que cet être, qui ne sait pas se laisser aimer, développe des tactiques de fuite, telle l'agitation perpétuelle : il se livre à d'incessantes occupations d'ordre professionnel ou non, il ne peut vraiment pas « rester à ne rien faire ». Pas tant pour prouver qu'il n'est pas ce « paresseux », ce « bon à rien » que dénonce son critique intérieur, que pour fuir le tête-à-tête avec lui-même ou avec l'autre.

Celui qui ne s'aime pas n'existe pas

Aussi va-t-il, pour exister, s'appuyer sur l'autre et vivre à travers lui. À la longue, cette attitude risque d'user ce dernier et d'altérer l'intimité. Celle-ci ne peut se satisfaire longtemps d'une relation déséquilibrée ; les échanges intimes supposent l'existence de deux personnes qui tiennent debout seules, existent à part entière et ont chacune quelque chose à donner.

Celui qui ne s'aime pas ne se connaît pas

C'est pourquoi il ne pourra aider son partenaire à découvrir qui il est, ce qu'il veut, ce qu'il aime. En effet, comment voulez-vous que l'autre sache ce qui est bon pour vous si vous ne le savez pas vous-même ?

Celui qui ne s'aime pas va multiplier les conflits

Ses demandes et ses récriminations, incessantes, vont tendre l'atmosphère jusqu'à ce que son partenaire lui accorde les réassurances qu'il attend. Parfois, la tension est telle qu'une dispute éclate. On peut alors se demander pourquoi l'inconscient de celui qui ne s'aime pas l'a poussé à cette extrémité, qu'en espère-t-il ? la réconciliation ? pas forcément. Et s'il cherchait la rupture ? En effet, sa position est ambiguë : il semble se plaire à « tangenter » le gouffre, comme s'il cherchait à y tomber. Tout se passe comme si une voix en lui disait : « Tu ne peux être aimé ; si ta femme actuelle t'aime, c'est qu'elle est stupide. Pour en avoir le cœur net, tu devrais te tester auprès d'une autre femme. Si tu ne réussis pas à t'en faire aimer, la démonstration sera faite une fois de plus que tu n'es pas "aimable". Juste punition. Si tu trouves quelqu'un qui t'aime, tu seras rassuré pour quelque temps, et tu récupéreras un état fusionnel tout neuf. Alors tu pourras continuer tes acrobaties. »

Le « connais-toi toi-même » de Socrate demeure une injonction fondamentale pour l'être humain. Se connaître permet de choisir ce qui est bon pour nous : les êtres avec qui nous serons en harmonie et avec qui nous pourrons croître, les actions où nous pourrons épanouir nos aspirations et nos dons. Se connaître devrait aussi nous permettre d'éviter ce qui est mauvais pour nous : les êtres et les actions néfastes. Bref, se connaître c'est se mettre sur la voie du bonheur.

Comment se connaître permet-il de s'aimer ? Si on entend par s'aimer, agir pour son propre bien, la connaissance de soi va nous en donner les moyens ; en effet, nous venons de voir que se connaître nous permet de faire les bons choix, qui mènent au bonheur. Si on entend par s'aimer, porter sur soi des jugements favorables, en un mot s'estimer, la connaissance de soi va aussi nous y conduire, mais par un long détour auquel je vous convie.

Posez-vous d'abord la question fondamentale : « Qui suis-je ? » Question trop globale pour y répondre avec précision, aussi faut-il la décomposer en un certain nombre de sous-questions.

Quelles sont mes qualités ?

Relevez ce que vous aimez en vous, ce que les autres aiment en vous, ce qui vous a permis de vous affirmer, ce qui vous rassure, ce qui vous donne un sentiment de bonheur intérieur, ce qui vous rapproche des autres. Vos points forts recensés, écrivez-les sur une feuille blanche : cela est la base de votre confiance en vous, de l'amour que vous pouvez avoir pour vous, en un mot c'est votre base. C'est aussi votre part de lumière ; plus vous la développerez, plus vous vous aimerez.

Quelles sont mes insuffisances et mes déficiences ?

Ne rechignez pas, regardez-vous en face et pointez ce que vous n'aimez pas en vous – voire même ce qui vous dégoûte –, ce que les autres n'aiment pas en vous, ce qui vous fait rater vos projets, ce qui écarte vos amis et vos aimants, ce qui vous rend malheureux. Bref ce que vous voudriez changer. C'est votre part d'ombre.

Sans doute pensez-vous que ce noir inventaire vous fera vous aimer moins. Détrompez-vous, vous allez au contraire vous en aimer mieux[6].

Pour cela, plus que la pointer, cette part d'ombre, acceptez-la. Elle n'est pas la marque de votre infériorité-méchanceté-perversité-etc. particulière ; elle est la marque de votre humanité. Les êtres que vous admirez ont aussi leur ombre et leurs travers, contre lesquels ils ne cessent de lutter.

Mais il vous faut aller plus loin que cette acceptation par indulgence, somme toute superficielle ; il vous faut accepter plus profondément, plus radicalement votre « mauvais côté » : il vous faut l'*intégrer*, c'est-à-dire considérer que vos défauts et insuffisances font autant partie de votre identité que vos qualités ; du reste ne sont-ils pas partie prenante de vos émotions, décisions, actions, relations ?

Les nier est une erreur plurielle :

— Les nier ne les empêche pas d'intervenir à votre insu et de vous manipuler. Au contraire, les intégrer vous permettra de mieux les contrôler.

— Les nier vous contraint à dépenser beaucoup d'énergie pour maintenir la belle façade que vous avez fabriquée, et derrière laquelle vous vous escamotez à vous-même et aux autres. Inversement, les intégrer vous épargnera ce gaspillage d'énergie. Et vous libérera, car cette façade était une prison aussi.

— Les nier vous rend vulnérable. Rien n'est pire qu'une blessure reçue par le défaut de la cuirasse qu'on affectait d'ignorer. Tout se passe comme si on vous révélait par surprise quelque chose que vous vouliez cacher ; la peur et la honte se mêlent à la douleur. Au contraire, les intégrer enlève la surprise, la honte et la peur, et atténue la douleur de la blessure.

Si, par exemple, vous avez tendance à mentir, mais que vous refusez de l'admettre et craignez que les gens ne le sachent, vous serez blessé doublement car surpris et honteux quand quelqu'un vous traitera de menteur ; votre blessure sera proportionnelle à vos dénégations. Mais, si un jour face à votre miroir, vous reconnaissez : « Oui, j'ai tendance à mentir », vous accepterez mieux ce reproche à l'avenir. D'autant qu'après cette confrontation avec la glace, vous vous étiez interrogé sur l'origine profonde de vos mensonges (le plus souvent une peur de parents trop sévères), et que vous aviez décidé de faire face aux situations dangereuses, plutôt que de les esquiver par un mensonge.

— Les nier c'est vous condamner à les pérenniser. À l'inverse, les intégrer c'est vous donner la faculté de les amender.

— Les nier vous maintient dans le faux et la vanité. Au contraire, les intégrer vous rend authentique et humble.

— Les nier est une preuve d'intolérance envers vous et, par conséquent, envers les autres. Inversement, les intégrer vous rend tolérant envers vous et envers tous. « Que celui qui n'a jamais péché lui jette la première pierre. »

Quelles sont mes aspirations ?

Quels sont mes désirs ? Qu'est-ce que je veux ? Qu'est-ce que j'attends ? Pourquoi suis-je fait ? Ces aspirations et ces désirs, sont-ils les miens ou ceux de mes parents ou de mon partenaire ?

Qu'ai-je fait pour réaliser mes aspirations et épanouir mes dons ?

Qu'ai-je fait pour devenir ce que je suis, pour être pleinement moi ? Pour m'accomplir ?

Qu'est-ce qui m'empêche de faire ce pour quoi je suis fait ?

Pour réaliser ce dont je rêvais quand j'avais dix-huit ans ?

Quels sont mes manques ?

Quelles sont mes frustrations ? Quelles sont mes douleurs ? Quels sont mes ressentiments et mes haines ?

Quelles sont mes peurs ?

Bien plus que mes insuffisances et le manque de chance, ce qui m'empêche d'être moi et de me réaliser ce sont mes peurs. Pour vous débarrasser de vos peurs, inscrivez-les sur une feuille, notez en haut « Wanted » et placardez ça sur un mur. Les peurs sont des monstres peureux, c'est en se cachant au fond de notre inconscient qu'elles nous manipulent, entravent nos élans et se rient de nos échecs. Mais si on les nomme, les sort de l'ombre et les cloue au pilori, elles perdent leur pouvoir.

Où en suis-je par rapport
à mon enfance ?

Comment est-ce que je me situe dans la constellation familiale de mon enfance ? Où en suis-je par rapport à ma mère ? Ai-je résolu mon complexe d'Œdipe ? Où en suis-je par rapport à mon père ? Ai-je résolu mon complexe d'Électre ? Où en est l'enfant au fond de moi ? Est-il paisible ou pleure-t-il encore ? Suis-je sorti de la programmation de mon enfance ?

En ce temps-là, vous viviez dans un microcosme limité aux parents, aux sœurs et aux frères, auxquels s'associaient les grands-parents et les éducateurs. En fonction du caractère de vos proches et de leurs attitudes d'une part, de vos satisfactions ou insatisfactions d'autre part, vous aviez mis au point un système d'actions et de réactions qui avait pour but d'obtenir le plus d'avantages possible et d'éviter au maximum les frustrations et les souffrances. Pour suivre l'exemple donné précédemment, c'est par peur d'un père exigeant et sévère et pour éviter ses punitions que vous aviez appris à mentir. Ce comportement a été enregistré sur la disquette de l'époque et sans doute vous avez encore recours au mensonge. De même qu'ont été engrammées d'autres peurs et d'autres douleurs liées cette fois à votre mère. Par exemple, quand elle s'absentait et que vous craigniez de la perdre. Ou quand elle partageait le lit de son mari et que vous pensiez qu'elle vous délaissait.

Plus tard, lorsque vous êtes entré dans le macrocosme, ce monde élargi de l'adulte – le couple, les enfants, la famille, le milieu de travail, la ville –, vous avez sans doute continué à utiliser la disquette du microcosme. Avez-vous peur de la réaction de votre partenaire ou de votre patron ? Vous mentez. Votre partenaire s'absente-t-elle de façon inhabituelle ? Une angoisse vous saisit et vous vous demandez : « Et si elle était allée rejoindre un autre homme ? Et si elle allait me quitter ? » Quelle que soit notre réussite sociale et notre âge, nous réagissons presque tous comme des enfants.

En laissant agir l'ancien programme, nous nous infligeons beaucoup de souffrances aussi intenses qu'inutiles. Pire, nous nous laissons entraîner dans des comportements inadaptés au présent, erronés et répétitifs, véritables scénarios où l'on rejoue des scènes de l'enfance, et qui conduisent à l'échec par panique, manque de confiance en soi et autopunition.

Le plus grand progrès de conscience qu'on puisse faire, c'est d'en finir avec la programmation du microcosme. Il faut, dans une situation douloureuse, repérer ce qui appartient aux scènes du passé et bien prendre conscience de ce qui est archaïque (et donc infantile) dans notre comportement actuel. Et alors se dire : « Stop, elle n'est pas ma mère, il n'est pas mon père et je ne suis pas cet enfant éperdu ! » Oui, la plus grande réussite humaine c'est de devenir, sur le plan affectif, adulte. Et de construire le véritable amour.

Où en est ma blessure d'enfance ?

Question subsidiaire de la précédente, mais primordiale. Vraisemblablement, cette blessure est au cœur du logiciel et c'est elle qui se réactualise et se réveille au cours de remakes des scènes infantiles, vous causant d'insupportables souffrances.

Tous nous avons au fond de nous un enfant blessé. En certaines circonstances la plaie s'avive et l'enfant souffre et pleure. Et il nous entraîne dans des souffrances et des pleurs à contretemps. Et il nous embarque dans des scénarios qui ne sont plus de mise.

Cet enfant il faut s'en occuper et c'est à nous de le faire, seul ou avec un thérapeute. En aucun cas il ne faut demander à l'amour – d'une femme, d'un homme – de s'en charger : l'amour c'est fait pour danser, pas pour panser. Ne mélangeons pas les rôles. N'encombrons pas l'amour. Parlez à l'enfant, rassurez-le, consolez-le. Dites-lui que désormais c'est vous qui êtes son père, sa mère et qu'il ne sera jamais plus seul, ni blessé. Dites-lui maintenant que vous l'écoutez, que vous comprenez son chagrin, qu'à l'époque des événements ses parents n'avaient pu faire autrement, que la vie était difficile et qu'ils avaient fait ce qu'ils pouvaient, qu'ils étaient eux-mêmes des enfants mal aimés. Séchez ses larmes, faites-le sourire. Chaque fois que dans votre vie un incident réveillera en vous la blessure de l'enfant, parlez à cet enfant, dites-lui que l'incident ne le concerne pas, que lui il peut jouer tranquillement et vous inspirer. Car l'enfant heureux c'est votre créativité, votre spontanéité, la fraîcheur de votre sensibilité et votre goût du jeu. L'enfant rieur, c'est votre trésor. Chérissez-le, remerciez-le. Et amusez-vous avec lui.

S'AIMER

S'aimer, c'est aimer cette individualité que l'on constitue. Il est non seulement normal de s'aimer, c'est même impératif. Pour soi, afin d'exister pleinement. Pour les autres, afin de jouer notre rôle et d'assumer nos devoirs vis-à-vis d'eux. On ne le répétera jamais assez : la condition fondamentale pour aimer les autres, c'est de s'aimer soi-même.

S'aimer, c'est se considérer comme un être à part entière, libre, égal aux autres, fait pour aimer et être aimé – donc digne d'amour –, un être pourvu d'un certain nombre de qualités qui lui sont propres et dont certaines constituent un véritable talent, un être destiné à une mission bien spécifique en rapport avec son caractère et ses talents. S'aimer, c'est se donner les moyens de rester libre, de vivre dans l'amour, de développer ses dons et de réaliser ce pour quoi on est fait. C'est se construire un ego solide, fécond et ouvert aux autres.

On voit donc que s'aimer n'a rien à voir avec l'égoïsme ou l'égocentrisme. Du reste ce qui caractérise l'égoïste, ce n'est pas tellement l'hypertrophie de l'ego que sa structure exclusivement centripète : il ramène tout à lui, ne parle que de lui, ne pense qu'à lui, ne s'occupe que de lui. Plus qu'une forme de suffisance, cette attitude traduit plutôt un manque en soi, spécialement un manque de confiance.

Dans notre culture imprégnée de religion chrétienne, on a mauvaise conscience à s'aimer. On nous a tellement prêché l'oubli de soi, voire même le sacrifice de soi. Sans doute a-t-on mal entendu le message de Jésus qui était : « Aime ton prochain *comme toi-même* pour l'amour de Dieu. » Sans doute aussi a-t-on mal transmis le sens de son supplice final, insistant plus sur le côté sacrificiel que sur sa dimension sacrée, si bien que chez trop de gens le don de soi a des relents de masochisme.

Heureusement, la *vox populi* affirmait en contrepoint : « Charité bien ordonnée commence par soi-même. » Heureusement, de nos jours, l'évolution des esprits inverse les attitudes. En réaction à la pression des idéologies dominantes – qu'elles soient religieuses ou politiques – qui donnaient la priorité à la collectivité sur l'individu, est venu le temps de l'individualisme. Il faut dire que les systèmes de pensée qui nous furent imposés n'ont pas tenu leur promesse de bonheur, pire, ils ont enfermé les êtres dans le malheur et la mésestime de soi. Aujourd'hui l'individu libre de toute pression – mais aussi dépourvu de tout repère – doit, seul, trouver sa voie et inventer sa religion. C'est à chacun de se construire à sa façon, en fonction de sa nature et de ses prédispositions, à chacun de trouver ses références, sa vérité, son sens, ses buts. Que chacun s'assume. Et s'aime corps et âme.

Aimer son corps

Il faut aimer son corps car dans l'intimité on le montre, mieux on l'offre. Si vous y répugnez parce qu'il n'est pas parfait, rappelez-vous ce qui fut dit au chapitre 7. Mais ne l'aimer que pour cela serait trop restrictif. Il faut l'aimer parce qu'il est *vous* aussi. À partir du moment où vous avez habité ce corps – où vous vous y êtes incarné –, il est devenu artificiel de vouloir le scinder en corps et en esprit. Vous êtes un tout. C'est pourquoi vous devriez dire non « le corps que j'ai », mais « le corps que je suis ». Par ailleurs, votre corps mérite une reconnaissance infinie eu égard aux milliards de milliards de services qu'il vous a rendus. Enfin vous pouvez lui vouer une admiration sans bornes, compte tenu de la complexité inouïe de sa structure et de la perfection quasi absolue de son fonctionnement. Ayant étudié ces choses et ayant soigné des milliers de malades et de blessés, je sais que la vie est un miracle de chaque instant. Aimez donc la vie qui foisonne dans votre corps.

S'il faut aimer son corps, il est bon de l'aimer avec justesse. Autrefois, il était méprisé et diabolisé ; support du désir et lieu du plaisir, il était la porte de l'enfer. S'il souffrait, le coupable, c'est qu'il avait à expier. S'il peinait à la sueur de son front, l'esclave, c'est qu'il lui fallait payer l'erreur originelle. De nos jours, le corps sorti de l'interdit qui le frappait est, à l'inverse, idolâtré. Par force gymnastique on gonfle ses muscles, par toutes sortes de régimes on affine sa graisse, par moult produits cosmétiques on pare sa peau. Ce culte du corps relève de la civilisation de l'apparence dont un des buts est d'*avoir* un beau corps pour *avoir* une belle façade. C'est une autre façon de le chosifier et de l'exploiter, mais lui n'est toujours pas vraiment aimé. L'attitude actuelle n'est pas plus juste que l'attitude ancienne.

Aimer son corps c'est en préserver le bon fonctionnement et même l'améliorer. Aimer son corps c'est en tirer du bien-être et des bonheurs ; et pour cela s'occuper de ses sens autant que de ses muscles. J'ai déjà indiqué comment vivre en majesté sa sensualité en pratiquant ces « exercices » de « sensualisme » qui ouvrent tout grands les sens : sentir pleinement, lentement, longuement une fleur. Admirer avec ferveur, avec lenteur, en s'emplissant de ses couleurs, un coucher de soleil. Déguster en pleine conscience, en s'y donnant complètement, en la recevant largement, une bouchée de *bon* pain, etc.

J'ai dit de *bon* pain, car s'aimer c'est offrir à son corps de bons aliments, des aliments au goût le plus parfait possible et dont la composition est la plus naturelle qui soit. Les nutriments deviendront les matériaux dont vous serez faits. Ils deviendront partie intégrante de vous.

Enfin, aimer son corps c'est aussi lui parler. Avant de lui « demander » un effort, formulez réellement avec des mots. Puis encouragez-le. Puis remerciez-le, félicitez-le. Parlez aussi à votre visage, à vos yeux, à votre palais, à votre odorat, à votre peau, à toutes les parties de votre corps. Annoncez-leur ce que vous allez leur offrir comme douceurs ou comme soins : des caresses, un chocolat, une pommade, une douche, une sieste, etc. Et commentez vos offrandes.

Cette tendresse pour notre corps, ce respect, c'est une forme de gratitude pour ce qu'il y a d'admirable dans son fonctionnement, de foncièrement beau dans sa conception. C'est une reconnaissance de sa part divine. C'est une louange envers la nature ou Dieu qui l'a créé. C'est enfin une façon de se relier à la vie qui parcourt le corps de votre partenaire. Et à la vie en général.

Aimer son esprit

Ce détour par la connaissance de soi, ce questionnement et ses réponses vous ont déjà donné les bases de votre amour pour vous et les moyens de l'approfondir.

En voici la quintessence :

— Soyez bien conscient de vos points forts, soulignez-les et appuyez-vous sur eux.

— Intégrez vos points sombres afin d'être plus vrai donc moins vulnérable, et efforcez-vous de les améliorer.

— Changez le disque de votre enfance. Les appréciations négatives de cette époque n'ont plus cours. Les douleurs et les peurs remontant à ce temps sont dépassées.

— Quant au bilan de votre vie – ai-je réalisé ce pour quoi j'étais fait ? – ne soyez pas injuste envers vous, voyez ce qui a été fait, parfois dans des circonstances difficiles. Mais ne soyez pas trop indulgent non plus. Si je souhaite que vous vous aimiez, je ne veux pas pour autant que vous soyez trop vite content de vous. Soyez sage, soyez humble, mais soyez ambitieux aussi, à condition que cette ambition soit au service de l'amour et contribue à l'évolution des consciences. De toute façon, sachez qu'« il n'est jamais trop tard pour bien faire », comme le dit l'adage populaire. On a vu des artistes, des écrivains, des chercheurs qui se révélaient à 60 ans, même à 80 ans. En tout cas essayez. « Il n'est pas besoin d'espérer pour entreprendre, ni de réussir pour persévérer », cette phrase de Thomas Moore devrait vous guider. De fait, pour s'aimer, ce qui compte ce n'est pas de réussir c'est d'essayer. Après vous pourrez dire, comme François Ier : « Tout est perdu, for l'honneur. » Et pour l'estime de soi l'honneur, c'est primordial.

Alors, quand vous vous aimerez, vous verrez combien vous pourrez aimer l'autre : sans attendre, sans réclamer, sans geindre, sans le « pomper », sans l'épuiser, sans douter, en l'acceptant tel qu'il est, en respectant sa liberté. Votre relation sera équilibrée, vraie, enrichissante, toujours renouvelée et joyeuse.

Et votre intimité sera heureuse. Ce bonheur, aucune fortune, aucune gloire ne peut l'égaler.

Chapitre 12

LA FEMME, L'HOMME ET L'INTIMITÉ

On croit généralement que l'intimité n'intéresse que modérément l'homme. De fait, il semblerait que s'il y consent parfois, c'est pour atteindre son but : faire l'amour. Et c'est vrai qu'il y a montré quelques réticences : ça ne serait pas sérieux, ça serait même puéril, et puis ce n'est pas important, c'est un à-côté de la vie, bref c'est une perte de temps.

En réalité, l'homme, en sa profondeur, a autant besoin d'intimité que la femme. J'en veux pour preuve sa métamorphose quand il tombe amoureux. Soudain, le voilà si sensible, si tendre, si prévenant et caressant et câlin et sentimental, si ouvert et généreux et chaleureux qu'il ne se reconnaît plus, qu'on ne le reconnaît plus. L'amour agit sur lui comme un séisme et révèle ses vibrations. Hélas, quand l'amour est acquis ou usé et qu'il sort de l'état amoureux, il retourne à la case départ : à sa carapace et à son silence. Trop de contraintes issues du passé pèsent sur lui.

Si l'homme joue à cache-cache avec l'intimité, et souvent la refuse, c'est que de lourdes contraintes l'en éloignent. Il n'empêche qu'il en souffre plus ou moins consciemment. La plupart du temps, il fait face à ses frustrations en se donnant à fond à toutes sortes d'activités fébriles – le travail, le sport, la guerre, la création. S'il ne réussit à s'y étourdir, il traînera un « mâle-être » qui se traduira par des maladies psychosomatiques (ulcère d'estomac, angine de poitrine, etc.), ou de la dépression, laquelle peut aboutir au suicide. Heureusement, la donne est en train de changer et l'avenir pourrait être radieux pour l'intimité.

Le passé : portraits classiques

Classiquement, on pense que la femme est plus intéressée et plus portée à l'intimité que l'homme. Cette opinion résulte de l'idée qu'on se fait de chaque sexe. Depuis les débuts du patriarcat – environ 20 000 ans avant J.-C. – jusqu'au milieu du XXe siècle, cette idée était une combinaison de deux facteurs ; d'une part, un facteur primitif : ce qu'est naturellement une femme, ce qu'est naturellement un homme, en d'autres termes ce que sont leur anatomie et leur physiologie respectives, étant entendu que chacun joue un rôle en fonction de ces éléments biologiques ; d'autre part, un facteur imposé, culturel : ce que la société a voulu qu'ils soient. Jusqu'au milieu du XXe siècle, la société ayant été totalement gouvernée par l'homme, la femme était la combinaison de ce qu'elle est naturellement et de ce que l'homme voulait qu'elle soit.

Voici le portrait de la femme et de l'homme classiques, c'est-à-dire d'avant la révolution en cours, portraits brossés pour apprécier l'aptitude de l'un et de l'autre à l'intimité. Bien entendu, il s'agit de généralités aux nombreuses exceptions.

1. La femme est un être plus disposé à l'intériorité ; son sexe est interne, ô combien, le petit qu'elle porte est en « son sein » avant d'être tout contre ; la femme est plus dans son corps, dans ses sensations, attentive à ce qui vient de l'intérieur ; ses activités se situent dans l'enceinte ou aux abords du foyer. Tout cela la met au plus près de sa conscience intime.

Au contraire, tout prédispose l'homme à l'extériorité ; son sexe est hors de lui : son corps il s'en sert plus qu'il ne l'écoute, il est plus dans l'action que dans la réception. La conscience de l'homme est donc plus braquée vers l'extérieur.

2. La pensée chez la femme serait de type cerveau droit : elle est plus intuitive, plus subtile, plus globale (elle prend en compte le corps, le cœur et l'esprit), plus relationnelle (elle prend en considération les autres). Elle serait aussi plus pratique (elle est branchée sur la vie quotidienne). Enfin, elle serait plus intéressée par la vie et les êtres que par les idées ; c'est pourquoi la femme donne la priorité au cercle intime où s'inscrivent les enfants, le mari, la famille.

Chez l'homme, la pensée relèverait plus du cerveau gauche, cerveau de la raison, de la logique et de l'abstraction ; ce qui prédispose l'homme à la conceptualisation et à l'idéologie, et l'incite à explorer de vastes espaces et donc à sortir du cercle intime.

Sans doute, dès l'origine, ce sont les rôles respectifs de mère tenue de rester auprès des enfants pour l'une, et de chasseur forcé de battre la campagne pour l'autre, qui ont forgé ces types de pensée. On voit lequel est plus propice à l'intimité.

3. La sensibilité affective – celle du cœur – serait plus développée chez la femme. Celle-ci serait plus sentimentale, plus affectueuse, plus tendre. Il faut dire que la maternité a constitué pour la femme une véritable école de tendresse : elle l'autorisait à vivre et à exprimer ses émotions vis-à-vis de l'enfant, à s'attendrir, à chérir.

L'homme serait plus dur, plus froid, voire impitoyable. C'est que confronté à la nature – en tant que chasseur ou agriculteur – ou affronté à des ennemis, il a dû s'endurcir. En plus de ces contraintes naturelles, l'homme par la suite dut subir la pression d'une culture qu'il avait lui-même instaurée et qui prônait une virilité pure et dure. Il était interdit à l'homme d'être sensible, d'être tendre, a fortiori caressant ; il lui était interdit d'exprimer ses émotions par le verbe ou le geste. Toute l'éducation du mâle avait pour but d'étouffer sa sensibilité, de réfréner ses émotions ; il fallait en faire un dur.

Il est vrai que la vie lui fut, de tout temps, extrêmement rude et dangereuse ; or, enfant, il avait vécu dans les jupes de sa mère et plus généralement celles des femmes, dans leur façon d'être, dans leurs travaux domestiques, ce qui ne le préparait pas à ses activités d'adulte. C'est pourquoi quand l'enfant avait atteint un certain âge – entre sept et douze ans –, les hommes l'arrachaient des bras des femmes pour le soumettre à des pratiques initiatiques qui en feraient un dur et un misogyne. En effet le but n'était pas seulement de le former à son rôle de chasseur, agriculteur, soldat, ouvrier, etc., c'était aussi de le défaire de l'empreinte de la femme et de lui forger une structure opposée à celle-ci. Il fallait le rendre apte à lui résister et à la dominer. Ça reste vrai dans certains milieux ; l'entraînement des commandos, par exemple, comprend des exercices qui consistent à tuer symboliquement la mère et plus généralement la femme en soi.

En réalité, la vie de l'homme était un perpétuel et triple combat :

— un combat contre les éléments naturels ;

— un combat contre les autres hommes, rivaux et adversaires. Sa place – économique et hiérarchique –, sa vie même étaient menacées en permanence. Pas question de prêter le flanc ;

— un combat contre la femme. L'homme avait pris le pouvoir et dominait la femme depuis 20 000 ans. Cette domination lui donnait des privilèges et la part du lion. Il la maintenait grâce à un arsenal répressif – des lois, des institutions, des châtiments – qui mettait la femme en état de soumission. Tout ce qui risquait de l'affaiblir face à elle ou pire de le placer sous son influence, il s'en méfiait : la tendresse qui amollit, le plaisir qui enivre, l'amour qui livre. C'est justement tout ce que recèle l'intimité.

Pas étonnant que la mythologie de la masculinité assimile sensibilité et faiblesse, tendresse et mollesse. L'homme patriarcal ne pouvait prendre le risque d'être fragile et vulnérable sous peine de ruiner l'ordre qu'il imposait.

Sous cette répression, il y avait enfin la morale judéo-chrétienne qui faisait de la sensualité et des sentiments la porte du péché. L'émoi sensuel, l'émoi sexuel et l'émoi amoureux étaient condamnés car ils conduisaient aux plaisirs qui égarent l'âme.

4. La sensibilité sensorielle – celle des sens – est, chez la femme, particulièrement développée au niveau du toucher, sens qui permet la perception intime des autres, sens qui prime dans les soins aux enfants, sens qui a notamment une tonalité affective.

Peut-on en conclure que la femme est plus douée pour la caresse ? Ce qui est vrai, c'est qu'en ce temps-là les facteurs qui favorisaient le toucher étaient plus nombreux chez la femme.

À l'aube de l'humanité, une division du travail s'était imposée pour des raisons biologiques : la femme, devant élever un petit né immature, restait au foyer, tandis que l'homme s'en allait chasser plus ou moins loin. Cette répartition des tâches eut à son tour des conséquences physiologiques, par exemple : la chasse avait fait de l'homme un être plus visuel que tactile, car il devait sa subsistance et donc sa survie à l'acuité de sa vue. La maternité avait fait de la femme un être plus tactile, car les soins au bébé exigeaient la finesse de son toucher. Quand les humains se firent fabricants (*Homo faber*), puis agriculteurs, une autre répartition du travail se fit qui n'avantagea guère, comme nous le verrons, la tactilité masculine.

A. La maternité lui donnait l'occasion de contacts doux, intenses et incessants, contacts qui aiguisent la sensibilité cutanée et érotisent la peau. De plus, la maternité l'autorisait à vivre et à exprimer ses émotions. Sortie de cette fonction, la femme conservait le privilège de pouvoir toucher, et câliner, chérir et s'émouvoir ouvertement, bien qu'avec réserve toutefois ; la société et l'institution religieuse étaient plus indulgentes pour elle.

B. Les travaux que la femme effectuait étaient en général plus fins (cuisine, couture, soins aux enfants), et la mettaient en contact avec des matériaux et des outils doux (tissus, fruits, plantes), ce qui raffinait son toucher.

Inversement, l'homme affrontait, généralement, des travaux plus rudes, qui le mettaient en contact avec des matériaux et des outils plus rugueux, et les intempéries, ce qui épaississait sa peau et émoussait son tact et ne prédisposait pas aux raffinements. En plus, il subissait une pression culturelle rédhibitoire qui lui interdisait toute tendresse et toute caresse. Pour l'Église le toucher comme le sentiment étaient contraires au salut. Pour la société civile, ils étaient opposés au mythe de la virilité : ces faiblesses étaient indignes d'un homme. Honte à celui qui s'attendrit. « Chocking », diront les puritains de l'ère victorienne.

Il est vrai que tout fléchissement de la virilité risquait d'affaiblir l'homme face à la femme, son ennemie.

L'homme a tellement intégré les interdits concernant sa sensualité et son affectivité, qu'il finit par croire qu'il est peu sensuel et qu'il n'a pas de besoins affectifs. En réalité, il les nie pour se conformer à l'image de virilité factice.

En réalité l'homme est physiologiquement et psychologiquement aussi apte à donner et à recevoir des douceurs et de la tendresse que la femme. Lorsqu'il sera débarrassé des travaux manuels et de l'oppression de la « virilité » – ce qui est en cours – il pourra dispenser de merveilleuses caresses à sa partenaire.

5. L'agressivité de la femme est plus réduite. Pour concevoir et élever les enfants, elle a besoin de paix ; de plus, pour avoir porté, puis gardé la vie, elle en connaît le prix. L'homme est plus rude, plus belliqueux, plus violent. Un chasseur ou un guerrier peut-il être autrement ? Et pourtant, il lui fallait bien chasser ou guerroyer pour nourrir et protéger sa famille.

6. Le langage de la femme et celui de l'homme sont très différents. Il est important de le savoir, car l'échange verbal entre les deux partenaires constitue la trame de l'intimité. La façon de s'exprimer de chacun est à ce point spécifique que Deborah Tannen[11], auteur d'une étude sur la communication, parle de deux cultures.

L'homme s'exprime en tant que représentant d'une classe dominante, imbu du sens de la hiérarchie et persuadé que la vie est une lutte pour préserver sa place et son indépendance. Il converse pour acquérir ou maintenir un statut de supériorité, non seulement vis-à-vis de la femme, mais de tous les autres interlocuteurs. L'interlocuteur est « cadré » comme supérieur ou subalterne ; de toute façon, c'est un adversaire. Ces conversations basées sur la définition d'un statut dans la hiérarchie ne peuvent qu'être conflictuelles : si l'homme est en position supérieure, il lui faut se défendre contre un rival potentiel ; et s'il est en position inférieure, il va défier l'autorité et se battre pour ravir le pouvoir. Toute conversation tourne à la compétition.

Dans ces conditions, les rapports humains sont asymétriques, les autres n'étant jamais vraiment égaux et ressemblants. Même l'amitié masculine s'exprime sous forme d'affrontements rituels et d'agressions simulées. Ce que vise l'homme dans un entretien, c'est d'avoir le dessus, de prouver que l'autre a tort, quitte à le rabaisser. Ce que redoute l'homme, c'est d'être dominé, humilié. C'est pourquoi l'homme ne parle pas de ses problèmes personnels, ne confie pas de secrets, ne livre pas ses émotions : ce serait se mettre en position d'infériorité, se rendre vulnérable, perdre son indépendance. Quand il parle, l'homme, c'est pour donner des ordres, informer, démontrer, discourir ; il préfère les généralités et l'abstraction. Ses sujets de conversation : le travail d'abord, ensuite les affaires, le sport, la technique. S'il conseille, protège ou compatit, c'est plus pour conforter sa supériorité prétendue que par générosité, à la limite, c'est de la condescendance.

La femme, elle, converse pour établir une relation, créer des liens, se rapprocher des autres ; il s'agit de se placer dans un réseau de rapports intimes et d'interdépendance. L'interlocuteur est un semblable avec qui il est bon de coopérer, qu'il faut comprendre et soutenir ; la femme s'efforce de préserver l'harmonie, donc elle évite les confrontations et cherche le consensus et le compromis. Elle n'ordonne pas, elle incite. Les rapports humains sont symétriques et égalitaires. Le but est de montrer son intérêt, son affection, et de partager. La femme parle d'elle, dit ses soucis, ses joies, ses chagrins, confie ses secrets et elle parle de ses proches (amoureux, enfants, collègues). Ses sujets sont privés : les personnes d'abord, le travail ensuite.

Si l'homme cherche à se faire respecter, la femme souhaite être aimée. Les mâles vivent dans un monde où le pouvoir appartient à l'individu qui résiste aux autres. Pour la femme, c'est la communauté sociale qui est source de pouvoir.

Ces attitudes spécifiques existent dès l'enfance. Des études notent déjà chez les garçons de trois ans une tendance à hiérarchiser les groupes, à établir des règlements, à revendiquer le beau rôle, à commander, à se disputer, à se vanter. Les fillettes du même âge se plaisent dans l'égalité, décident des jeux d'une même voix, cherchent des compromis, ne fanfaronnent pas, ne s'agressent pas violemment.

Vraiment, entre la femme et l'homme, il y a plus d'une différence de style ; ce sont deux stratégies distinctes : femme et homme ne recherchent pas la même chose dans la conversation. Sans doute ces attitudes correspondent-elles à deux structures mentales et à deux conceptions du monde.

Ces dissemblances sont-elles innées, sont-elles acquises ? L'auteur des travaux pense qu'elles sont induites par la pression sociale et correspondent à des conventions de la société patriarcale : garçons et filles grandissent dans des mondes différents en ce sens qu'ils sont faits d'autres mots, l'entourage ne parlant pas de la même façon aux uns et aux autres ; et les enfants passent la plupart de leur temps dans des groupes de même sexe, ayant des jeux propres. Toutefois, il me semble que de telles différences ne peuvent relever uniquement de l'éducation et qu'elles pourraient bien avoir également des origines biologiques.

*
* *

Voilà tracés les portraits-robots de la femme et de l'homme jusqu'au milieu du XXe siècle. Ces stéréotypes, élaborés au début du patriarcat, ont été confirmés au cours des millénaires qui ont suivi. En effet, quels que furent les types de sociétés et de religions qui se sont succédé, c'est l'homme qui, s'étant arrogé le pouvoir, s'organisait pour le conserver, distribuant les rôles et modelant les êtres de façon à dominer et soumettre la femme. C'est donc par peur de perdre le pouvoir que l'homme a, dans les archétypes naturels, aggravé ce qui pouvait rendre la femme fragile et réprimé ce qui pouvait la rendre dangereuse : ses possibilités d'être autonome, de prendre des initiatives, d'acquérir des connaissances, de créer, et surtout sa sexualité. Sur ces plans les religions ont bien aidé les États.

Les transformations qu'a ainsi imposées l'homme ne sont bonnes ni pour lui, ni pour la femme. Non plus que pour le couple ou la société. La femme qui doit rabattre sa sensualité, renier sa sexualité et renoncer à sa part active (autorité, initiatives, actions) est un être tronqué. L'homme qui doit se couper de sa sensualité et de sa sensibilité est un être mutilé. De plus, en censurant la femme, ce dernier s'est privé de ce qu'elle aurait pu lui apporter naturellement : une autre façon de penser, de sentir, de voir, de jouir, d'organiser, bref de s'équilibrer et de s'épanouir.

Quant au couple, il ne peut, dans ces conditions, qu'être le champ clos d'une épreuve de force dont la femme est toujours la perdante. La société, enfin, faite d'individus aussi déformés et opposés ne peut être harmonieuse et paisible. De fait, le patriarcat basé lui aussi sur des rapports de force peut se résumer en trois mots : exploitation (des uns par les autres), violences et assassinats (individuels et collectifs). Au total, si l'homme de ce temps paraissait sûr de lui et triomphant, il souffrait en profondeur de « mâle-être » : inquiet pour son pouvoir, tendu pour le sauvegarder, frustré de beaucoup de plaisir, victime boomerang de la cruauté d'une société dont il est l'organisateur, c'est un être rongé par l'anxiété.

Tout cela – ces peurs, ces pleurs, ces mutilations, ces oppositions, cette anxiété – n'est pas favorable à l'intimité. C'est miracle si elle a pu s'établir, cahin-caha, entre des êtres aussi écartés.

Nous avons, à plusieurs reprises, évoqué la peur qu'aurait l'homme vis-à-vis de la femme – la « mâle-peur ». C'est qu'elle est au cœur des relations entre les sexes. J'y ai consacré un livre[9]. Je n'en retiendrai ici que ce qui concerne l'intimité, qui est bien le lieu où ces peurs risquent de s'exaspérer.

La peur de l'« amourachement » et plus généralement de l'amour

Pour un homme, entrer dans les bras d'une femme, c'est risquer de tomber amoureux. Alors, il a tout à craindre : que ses propres sentiments déchaînés ne le submergent, n'absorbent son temps, n'aspirent ses forces ! Que son désir embrasé ne l'attache à cette femme, ne l'y soumette, ne le rende dépendant d'elle, en un mot n'aliène sa liberté. Que le plaisir démonté ne l'envoûte, ne lui fasse perdre la tête et donc la maîtrise de son destin. L'amour c'est la possession absolue et la dépossession totale.

La peur d'être démasqué

Qu'advient-il du dominateur, du héros, quand il pose son épée, quand il enlève sa cuirasse, quand il se met nu ? Ne risque-t-il pas de mettre aussi son âme à nu, c'est-à-dire de dévoiler ses faiblesses, ses peurs, ses secrets ? Sera-t-il encore le maître, l'admiré ?

La peur de la tendresse La dialectique maman-putain

Pour l'homme, la tendresse est liée à sa mère, une personne intouchable, avec qui il est impensable de faire l'amour. Il a pour elle autant de respect que d'affection. Une partenaire trop tendre lui évoquera donc sa mère et mettra son désir en porte-à-faux ; il la béatifie et la rend intouchable. A fortiori si cette partenaire est devenue mère elle-même, ce qui la sacralise encore plus. L'intimité toute de tendresse faite et dont les câlins lui rappellent ceux qu'il vivait avec sa mère, le met mal à l'aise. Dans son subconscient, il la perçoit comme un flirt avec le tabou de l'inceste. Alors, inconsciemment, l'homme est tiraillé entre son désir pour elle et une sorte de respect. Il tranche : par devoir, il fera l'amour avec elle mais « à la papa » ; pour les fioritures, les trente-six positions, les recherches en tout genre, les excès et les records, il s'adressera à des femmes extérieures, des femmes libres de tout ce contexte de respectabilité : des maîtresses ou des prostituées. Dans tous les pays monogamiques, les choses se sont toujours passées ainsi. Des Romains jusqu'aux bourgeois du XIXe siècle, les hommes face au dilemme désir-respect, on choisit la dichotomie. Ainsi c'est la respectabilité de la femme-épouse qui engendre l'infidélité de l'époux.

Il existe toutefois des hommes qui tranchent autrement : quand le désir les pousse vers leur épouse, c'est la respectabilité qu'ils taillent en pièce : ils traitent la femme de putain et, joignant le geste à la parole, ils la traitent en putain. Abaisser la femme pour pouvoir lui faire l'amour, c'est ainsi que les machos ont toujours résolu leur dialectique madone-putain.

Reste une autre solution, inverse des comportements précédents : transférer le respect dans la sexualité, faire de l'activité sexuelle un érotisme sacré, faire de la partenaire une célébrante. Ce qui n'est pas pensable en Occident où la chair est péché depuis 2 000 ans. Sauf à réinventer le sacré de l'amour.

La peur de l'irrationnel

Entrer dans l'intimité, c'est risquer de s'embarquer dans quelque chose de non programmé, de côtoyer l'irrationnel et les mystères de l'inconscient.

La peur de l'affaiblissement

En raison de la dissymétrie entre la sexualité de la femme et celle de l'homme, celui-ci redoute d'en arriver à l'épuisement – ce qui compromettrait son autorité et sa combativité. L'homme parvient à l'orgasme par un effort bref ; ensuite son désir décroît – c'est la phase réfractaire – et une langueur l'envahit. S'il répète deux ou trois fois son acmé, son désir tend vers zéro, et sa fatigue s'accroît.

À l'inverse, pour déclencher par pénétration l'orgasme de la femme, l'homme doit passer plus de temps et fournir des efforts plus soutenus, lesquels efforts doivent être multipliés en raison des capacités multiorgasmiques de la femme. En effet, celle-ci n'a pas de phase réfractaire, ni de fatigue post-coïtale, son désir se renouvelle un temps prolongé. L'homme qui par plaisir et par amour s'emploie à satisfaire sa compagne peut, dans certains cas, en arriver à un certain affaiblissement. Les Chinois de l'Antiquité le savaient déjà qui inventèrent l'érotique taoïste, qui est l'art de combler sa partenaire sans s'épuiser. Les chefs des armées le savaient aussi qui interdisaient tout rapport sexuel la veille d'une bataille, de peur de voir les combattants amollis. De mon côté, j'ai proposé aux hommes d'apprendre l'art de la « caresse intérieure[5] ».

La peur du sexe de la femme

De tout temps, le sexe de la femme a inspiré une profonde peur à l'homme, tout en le fascinant. Ce que l'on sait de la vie préhistorique le montre, et l'histoire des diverses civilisations le démontre.

Comme il est impressionnant, cet orifice d'où sort la vie, où s'ouvre le monde mystérieux du ventre, lui-même grouillant de vie ! Comme elle est sidérante, cette fente où bébé apparaît dans le sang et les cris ! Penser que ses enfants sont issus de là, que lui aussi, oui, lui, vient de là, remplit l'homme d'admiration et de crainte.

Comme il est impressionnant, le creux de la femme, fait des multiples creux de la vulve, du vagin, de la matrice. Creux secrets, sièges de quelque mystérieuse alchimie, impénétrables à la lumière, hermétiques à la logique. Creux insondables où le désir de la femme s'éprouve comme une force qui aspire. Et donc lieux de toutes les fantasmagories masculines. Abysses humides aux odeurs marines, le sexe féminin n'est-il pas semblable à la mer ? Comme elle, il fascine l'homme, l'attire, le terrifie. Ne risque-t-il pas de l'engloutir ? De fait, la verge noyée dans les profondeurs de la femme, le corps immergé dans ses bras, l'esprit saisi de vertiges, l'homme peut craindre de sombrer sans retour. N'y aurait-il pas dans les hauts fonds du vagin quelques grottes marines où se tapissent de *féroces animaux* – poissons, serpents ? –

et cette cavité n'est-elle pas, elle-même, la gueule de quelque animal, gueule dont les dents – *vagina dentata* – risquent de mordre, voire de sectionner le pénis ou même de dévorer l'homme tout entier ?

En plus, cette faille émet un sang « impur », qui inspire à certains mâles terreur ou dégoût. Et elle est entourée d'une fauve toison qui l'indispose. Et elle exhale des fragrances qui le perturbent. Bien sûr, tout cela ne rebute que les peureux, le poète lui – c'est-à-dire l'homme en son authenticité – se prosterne, vénère, s'enivre et rend grâce. Car il y a mille raisons d'adorer le sexe de la femme[9].

Pour éliminer cette peur stupide, il faut *élever la vision* que nous avons du sexe de la femme tant sur le plan esthétique (c'est une fleur admirable), que sur le plan affectif (c'est le lieu prodigieux de l'union de la femme et de l'homme), et spirituel (c'est un fabuleux carrefour de vie et le tremplin d'un état de conscience du plus haut niveau). En d'autres termes, il faut rendre à ce sexe sa beauté et son sacré.

Au total, l'homme est la première victime de la société qu'il a organisée. Naturellement, il est aussi sensuel, sensible et affectueux que la femme et ses besoins sensuels et affectifs sont aussi grands. Ce n'est pas parce qu'il les nie qu'ils n'existent pas. Alors, comme ils ne peuvent être satisfaits, ils implosent : ces frustrations, ces refoulements, se traduisent en souffrances mentales (angoisses, dépression, etc.) et en maladies psychosomatiques (ulcère de l'estomac, coronarite, etc.).

Pour tenter d'échapper à ses manques profonds et à ses maux, l'homme fuit dans l'hyperactivité ; c'est, de nos jours, le business, la bourse, la politique, le sport, la compétition, la guerre, etc., autant d'activités qui vont lui donner du pouvoir ou les moyens du pouvoir : l'argent. Car il croit que le pouvoir compense le manque d'amour. Mais quand dans mon cabinet ils sont nus de corps et d'âme comme ils l'étaient en naissant, comme ils le seront en mourant, les PDG et autres présidents, les préfets et les gradés, les professeurs et les présentateurs ne se révèlent pas profondément heureux. Ce n'est pas en s'amputant d'une partie de soi et en se coupant de la femme que l'on peut s'accomplir. Réussir, oui, c'est plus facile.

L'intimité que l'homme fuit serait pourtant son salut. Reste, pour y accéder, à laisser vivre en lui sa part féminine. Ce que fera l'homme nouveau.

Le présent : une transition

L'identité de chaque sexe n'est pas aussi manichéenne que le firent croire les hommes du patriarcat. En réalité, chaque être est composé d'une part de féminité et d'une part de masculinité. Les Orientaux l'avaient compris depuis longtemps qui parlaient de « yin » et de « yang » ; et Jung, au début du siècle, avait rappelé qu'en chacun s'associaient l'« *animus* » et l'« *anima* ». Chaque sexe est donc bipolaire, fait d'un pôle féminin et d'un pôle masculin. On entend par féminité ou yin ou *anima*, l'ensemble des caractéristiques dévolues traditionnellement à la femme et par masculinité – yang ou *animus* – l'ensemble des caractéristiques attribuées classiquement à l'homme. Ce qui fait la différence entre les sexes, c'est un dosage différent de chaque pôle.

Le patriarcat avait manipulé les pôles à son avantage : chez l'homme, il avait hypertrophié le pôle masculin et atrophié le pôle féminin ; chez la femme, il avait atrophié la part masculine et hypertrophié la part féminine. Il voulait ainsi renforcer l'homme et affaiblir la femme.

De nos jours, à la suite de divers bouleversements économiques et sociaux, et sous la poussée du féminisme, on assiste à un nouveau dosage des pôles et à une redistribution des rôles. Chaque sexe doit viser à développer son pôle déficitaire : chez la femme l'*animus*, chez l'homme l'*anima*. En cette période de transition, les redosages qui sont en cours n'ont pas encore abouti à un bon équilibre.

La femme actuelle a développé son *animus*, ce qui lui a permis de se libérer de la tutelle de l'homme et de devenir son égale : elle a les mêmes droits, a accès aux mêmes carrières et est libre de son corps. Ce qui est juste. Par contre, ce qui semble moins juste, c'est, comme le font certaines femmes, d'hypertrophier leur *animus* et de réduire leur *anima*, ce qui revient à imiter les hommes. Confondant égalité et similitude, elles copient les comportements masculins dans ce qu'ils ont de négatif : la rationalité, l'implacable logique, la dureté, le mépris des sens, l'autoritarisme, l'agressivité, le cynisme, la grossièreté, le règne de l'argent. Cela ne constitue guère un progrès ni pour la société – le mimétisme excessif ne fait que reconduire les valeurs négatives du patriarcat –, ni pour le couple et son intimité car, d'où qu'ils viennent, l'autoritarisme et la dureté sont contraires à la relation amoureuse.

L'homme actuel, de son côté, tente d'épanouir son *anima* tout en tempérant ce qu'il y a d'abusif et de violent dans son *animus*. Hélas, certains hommes qui avaient par trop découvert leur sensibilité, confrontés aux nouvelles amazones, ont fait l'objet d'attaques virulentes et se sont heurtés à un autoritarisme impitoyable. Traumatisés, ils se sont juré qu'on ne les y reprendrait plus.

Ainsi, la soumission d'un sexe par l'autre n'a pas été remplacée par un partage du pouvoir, mais par l'opposition entre les sexes. Plus que jamais la relation dans le couple tend à l'épreuve de force. Dans ce contexte, l'intimité a du mal à trouver sa place. Et l'on voit de plus en plus de partenaires se séparer, de plus en plus d'hommes et de femmes préférer vivre seuls, à moins qu'ils ne s'adressent à des êtres de leur sexe.

L'AVENIR : UN IMMENSE ESPOIR POUR L'INTIMITÉ

À l'avenir, la femme et l'homme, continuant d'évoluer, se réajusteront autrement et finiront par trouver un heureux équilibre.

La femme nouvelle poursuivra le développement de son *animus*, mais sans pour autant réduire son *anima*. Elle saura mener des actions importantes, exercer son autorité, réaliser sa créativité, tout cela à sa façon, sans renier sa chaleur humaine, sa tendresse, sa sensualité. L'homme nouveau osera parallèlement renoncer au côté dominateur et agressif de son *animus*, tout en laissant fleurir la sensibilité et la douceur de son *anima*. Libérant son affectivité, il s'autorise à ressentir pleinement ses émotions et à les exprimer. Il sait qu'être tendre, ce n'est pas être mou, ni faible, qu'il peut avoir des muscles d'acier et des gestes de soie, une volonté de fer et un cœur de velours. Aussi l'homme nouveau aime donner et recevoir de la tendresse. Sa vie en est transformée car la tendresse est l'antidote des stress qui assaillent ses nerfs. La vie du monde en sera transformée aussi, car la tendresse atténue l'agressivité fondamentale de l'espèce humaine.

L'homme nouveau développera également sa sensualité. Il saura écouter les vibrations de son corps et en jouir : il sera plus attentif aux plaisirs de sa peau, plus réceptif aux bienfaits des odeurs, plus accueillant aux vertus des couleurs, etc. Dans l'intimité, l'homme nouveau sera tendre avant tout. Et inventif. Et plein d'humour. Il écoutera attentivement sa compagne et la comprendra réellement. Il s'enquerra de ce qu'elle souhaite, pense et sent. Il parlera, se dira et osera demander. Il aimera les joies de l'amour ; mais il aura le droit de ne pas bander automatiquement, de ne pas pénétrer systématiquement ; et celui d'être caressé et cajolé.

L'homme nouveau cultivera son pôle masculin dans ce qu'il a de plus bénéfique. Son agressivité, il en fera une combativité qu'il met au service de causes bonnes ; son esprit de domination, une force de caractère qui lui permettra d'affronter les difficultés ; sa soif d'entreprendre s'orientera vers des buts valables. Sa virilité redeviendra synonyme de courage, vigueur, noblesse.

La femme nouvelle et le nouvel homme s'allieront dans un couple nouveau. Entre eux, les échanges seront plus complets, plus riches. Les différences – pôle masculin toujours prépondérant chez l'homme, pôle féminin toujours soutenu chez la femme – attireront puissamment. Les ressemblances, elles, rapprocheront intimement : épanoui, le pôle féminin de l'homme s'accordera à celui de la femme, et les voilà qui communiqueront et fusionneront ; renforcé, le pôle masculin de la femme s'ajustera à celui de l'homme, et les voilà qui se comprennent et collaborent. Jeux à quatre mains aux accords infiniment multipliés. Jeux horizontaux ou croisés, où il est plus facile de se trouver, de s'entendre, de s'assembler. Ce couple né de l'« émergence » de la femme « engloutie » et de l'accomplissement de l'homme par la reconnaissance de son pôle féminin, sera le couple du troisième millénaire, le couple de l'intimité parfaite.

Épilogue

RÉFLEXION SUR L'INTIMITÉ – ET L'AMOUR – EN UN ACTE ET NEUF TABLEAUX

Premier tableau

Une chambre d'étudiant en médecine. Des volumes de médecine, des planches d'anatomie, un crâne, un squelette.

Personnage : Hervé, étudiant en médecine.

Hervé prend un manuel dans un rayon et s'installe à sa table de travail.

Hervé. — Révisons, encore une fois, les muscles du visage. *Il tourne les pages du livre.*

Commençons par les muscles des yeux. *Il lit à voix haute en langage des oiseaux.*

Bon, voyons la planche… *Il se dirige vers la planche de l'œil.*

Voilà le muscle orbiculaire des paupières… *Il montre ce muscle.*

C'est celui qui nous fait ouvrir et fermer l'œil… Bon. *Il ouvre et ferme les paupières.*

Voyons les muscles moteurs du globe oculaire : il y en a huit. *Il montre du doigt chaque muscle.*

Oui ! oui ! oui ! oui... Ah, important : le muscle rotateur interne... *Il lit :* « Lorsque le muscle rotateur interne est trop court, le globe oculaire tourne en dedans, c'est le strabisme interne. » Autrement dit, le mec louche. Donc, si Ariane avait un muscle rotateur interne trop court, elle loucherait et je ne l'aurais pas aimée.

Hervé pose son doigt sur un autre muscle. Enfin, ici, le muscle pathétique... Il lit son manuel : « C'est le muscle qui tourne l'œil vers le haut. On l'appelle "pathétique" parce qu'il donne au regard un aspect dramatique. »

Hervé fait un regard pathétique. Ça, c'est Ariane quand elle me déclare sa flamme. Au fond, on est peu de chose et l'amour tient à si peu ! Les yeux de Chimène... *Il montre la planche de l'œil...* Une boule d'eau que tirent à hue et à dia de pauvres muscles !

Bien, passons aux muscles de la bouche. *Il retourne à sa table et tourne les pages de son manuel.* Ah, voilà... *Hervé lit en langage des oiseaux.*

Il se relève et se dirige vers la planche des muscles de la bouche. Donc, ici, nous avons le muscle orbiculaire des lèvres... là, le muscle buccinateur, là le muscle risorius, là le muscle triangulaire... *Il épelle et montre du doigt différents muscles, repart à sa table, puis lit :*

« Le baiser est la juxtaposition des lèvres, il met en jeu onze muscles. Le baiser profond est la juxtaposition des lèvres et des langues. Il met en jeu les onze muscles de la bouche et les dix-sept muscles de la langue. Au total, vingt-huit muscles participent à ce baiser… »

Hervé, l'air pensif… Il reprend sa lecture : « Le sourire correspond à la contraction du muscle zygomatique et du muscle temporal et au relâchement des masséters. »

Il va devant son miroir, mime alternativement baiser et sourire, puis prend un cadre où se trouve la photo d'Ariane, son amie et, de même, mime alternativement baisers et sourires.

Vingt-huit muscles… On perd la tête parce que vingt-huit muscles font de la gymnastique !

Il retourne à sa table et feuillette son manuel d'anatomie.

Tiens, voyons ce qu'ils disent des muscles des fesses… *Hervé lit en langage des oiseaux. Puis il se lève, regarde la planche d'anatomie correspondant aux fessiers et, en les désignant du doigt, dit :* Voyons… voici le muscle grand fessier, ici c'est le muscle moyen fessier, et là, le petit fessier. Ici, tout le tour, c'est du tissu adipeux, de la graisse, quoi !

Ouais… *Il reste pensif.*

Pendant que j'y suis, obsédé pour obsédé, allons-y voir… *Il feuillette son livre.*

J'y suis : les muscles des seins. *Il lit à voix haute :* « Le sein est posé sur le muscle grand pectoral et accroché au muscle suspenseur, qui n'est qu'une fine lame sans grande efficacité. Le sein se compose : au centre, de la glande mammaire, et en périphérie, d'une atmosphère de tissu adipeux. » *Hervé de commenter :* Encore de la graisse !

Il va se planter devant un poster représentant une femme nue.

Si je résume, ces seins qui nous affolent et ces fesses pour lesquelles on se damnerait, nous les hommes, ne sont, tout bien pesé, que quelques kilos de muscles entrelardés de graisse…

Deuxième tableau

La même chambre.

Personnages : Hervé – Igor, un ami étudiant en lettres.

On frappe à la porte.

Hervé. — Entrez ! Tiens, mon ami Igor ! Tu tombes bien. J'avais besoin d'un homme de lettres comme toi, de quelqu'un qui me rende le souffle de la poésie et le vertige romanesque…

Igor. — Ah bon ? !…

Hervé. — Je suis dans l'anatomie jusque-là. *(Il porte la main au-dessus de sa tête)*. Ça me prend la tête. Je vois partout des muscles, des vaisseaux, des nerfs, de la graisse… c'est comme si je regardais l'humanité non plus du dehors, mais du dedans. Je vois sous la peau et ce n'est pas beau. Tu te rends compte, il suffit d'enlever quelques millimètres d'épiderme et on est dans l'anatomie, dans la barbaque, quoi… ça m'a foutu un coup. Je ne pourrais plus être amoureux. On frissonne de joie quand on caresse le visage de la femme qu'on aime, et pourtant, regarde ce qu'il est quand on soulève la peau… *Il montre la planche du visage.* Tu baignes dans le bonheur quand tu plonges ton regard dans le sien, mais vois comment c'est, à l'intérieur… *Il montre la planche de l'œil.*

Et son sein qui nous fait rêver, regarde ce qu'il est en réalité... *il montre la planche du sein*... une glande écarlate, noyée dans une poignée de graisse ! Et ces fesses, ces fesses qui nous troublent tant, ne sont qu'énormes biftecks enrobés de graisse. Quant au ventre féminin, que je vénérais comme la rondeur suprême, source de vie, amphore du plaisir, sais-tu ce qu'il est ? Oui, j'ai vu une intervention sur l'abdomen... Comme je t'envie, Igor, toi que les études portent à ne rencontrer que muses inspiratrices et héroïnes vibrantes de passion ! Toi au moins, tu ne risques pas de voir se démystifier ton image de la femme ou s'altérer ton désir d'elle.

Igor. — Détrompe-toi, Hervé. Ceux qui écrivent sont parfois aussi iconoclastes que ceux qui dissèquent. Écoute Albert Cohen. Voici ce que cet écrivain, par ailleurs adorateur de la femme, dit dans *Belle du Seigneur :*

« Transpirante sous lui, sanglotant sous lui, elle lui disait qu'elle était sa femme et sa servante, plus basse que l'herbe et plus lisse que l'eau, lui disait et lui redisait qu'elle l'aimait. Je t'aime autrefois, maintenant et toujours, et toujours sera demain, disait-elle. Mais si deux dents de devant m'avaient manqué la nuit du Ritz, deux misérables osselets, serait-elle là, sous moi, religieuse ? Deux osselets de trois grammes chacun, donc six grammes. Son amour pèse six grammes, pensait-il, penché sur elle et la maniant, l'adorant. »

Plus loin, à propos de femmes prétendues idéalistes qui cherchent un mari, il insiste :

« Les dames éprises de spiritualité tiennent aux petits os. Elles raffolent de réalités invisibles, mais les petits os, elles les exigent visibles ! Et il leur en faut beaucoup. En tout cas, les coupeurs de devant doivent être au complet ! Si de ceux-là il en manque deux ou trois, ces angéliques ne peuvent goûter mes qualités morales et leur âme ne marche pas ! Deux ou trois petits os de quelques millimètres en moins et je suis fichu, et je reste tout seul et sans amour ! Comment, me dira-t-elle, tu n'as pas de petits bouts d'os dans la bouche et tu as l'audace de m'aimer ? »

Hervé. — Traître ! J'attendais que tu exaltes la beauté de la femme et la splendeur de l'amour, et qu'ainsi tu restaures ma fascination pour le mystère de l'éternel féminin et mon désir de leur corps ! Et voilà qu'avec tes propos sacrilèges tu m'enfonces plus encore dans la répulsion !

Igor. — Je me demande si les réactions de ces auteurs et la tienne ne sont pas des réactions saines, je dirais même des réactions de survie ?

Hervé. — Que veux-tu dire ?

Igor. — Par sa beauté, par son pouvoir de séduction, la femme fait de nous des êtres soumis, voire des esclaves. Les désirs qu'elle suscite en nous, le plaisir qu'elle y déchaîne, l'amour qu'elle y engendre sont autant de liens par lesquels elle nous attache. Pour un regard, pour un sourire, pour une caresse, trop d'hommes ont perdu la tête et le fil de leur destin. Privé de la maîtrise de sa vie, l'homme risque de perdre non seulement sa liberté, mais – et c'est pire – son autorité et donc son pouvoir dans la société. Alors n'est-il pas heureux que des hommes ou des faits nous rappellent que la beauté de la femme est un leurre et nos sentiments des illusions ?

Hervé. — Crois-tu que les hommes ont toujours agi de la sorte, avec une fascination mêlée de crainte ?

Igor. — C'est justement pour tenter de dominer leur peur que les hommes ont pris le pouvoir il y a de cela 15 000 ans. Et il leur faut sans cesse se défendre contre l'ensorcellement féminin. C'est pourquoi, depuis que s'écrit l'Histoire, on les voit lutter contre tout ce qui peut accroître la séduction de la femme. Nombre de documents anciens d'Asie, de Mésopotamie, de Grèce, dénigrent les fards et mettent en garde contre leurs sortilèges. Quant aux clergés des religions patriarcales, ils n'ont cessé de tonner contre l'usage des cosmétiques qui augmentent l'attrait de la femme.

Et il est curieux de constater que, de tout temps et dans toutes civilisations, le meilleur antidote contre la séduction féminine fut de rappeler que la beauté n'est qu'une façade, que derrière les apparences est la réalité organique. Rappeler aussi que la beauté est éphémère et qu'au-delà de l'instant, le corps livré à la vieillesse, à la mort, n'est que laideur et pourriture. Beaucoup de contes nordiques antérieurs à J.-C. racontent l'histoire d'un chasseur qui, au moment où il étreint une séduisante vierge, constate que son dos, en putréfaction, est creux comme un arbre pourri. Au Moyen Âge, plus d'un conte montre un chevalier qui, à l'instant d'enlacer une jolie damoiselle, s'aperçoit qu'il n'a, dans les bras, qu'un squelette. Et souviens-toi, dans Faust, les lamies, ces démones qui tentent de séduire Méphisto, ont le dos rongé d'asticots !

Hervé. — Donc, mes réactions sont normales.

Igor. — Salutaires, mon cher Hervé. Tout homme qui devient misogyne est un homme sauvé. Allez, beau mâle, il faut que je rentre. Bon courage pour tes révisions.

TROISIÈME TABLEAU

La même chambre.

Personnages : Hervé – Ariane, l'amie d'Hervé, au téléphone.

Hervé, seul, fait les cent pas et marmonne en se touchant : zygomatique... pathétique... orbiculaire... circulaire... Soudain, le téléphone sonne.

Ariane, *la voix enjouée.* — Coucou, c'est Ariane.

Hervé. — Ah, c'est toi...

Ariane. — Ben oui, c'est moi, tu as l'air de tomber des nues. Ça ne va pas ?

Hervé. — Si, si. Alors, qu'est-ce que tu voulais me dire ?

Ariane. — Rien de spécial, ou plutôt si : que je t'aime plus que jamais. Je ne voulais pas attendre ce soir pour entendre ta voix. Je pense à toi toujours...

Hervé. — Moi aussi... enfin, d'une certaine façon.

Ariane. — T'as l'air vraiment bizarre...

Hervé. — Je suis fatigué... abruti d'anatomie.

Ariane. — Tu veux que je vienne, ça te fera une petite récréation ?

Hervé, *précipitamment.* — Non, non, il faut que je bosse.

Ariane. — Alors pour te changer les idées, tu n'as qu'à penser à... mes yeux par exemple... *Hervé* *regarde la planche des yeux*... ou bien à mon sourire... *il regarde la planche du visage*... ou bien imagine nos baisers... *Hervé regarde la planche de la bouche*...

Hervé. — Je n'arrête pas d'y penser.

Ariane. — Alors, tu vois que tu m'aimes. Bon, tu devrais changer de livre car tu me parais vraiment saturé d'anatomie. À ce soir, mon ange. Je t'embrasse. *On entend des bruits de baisers.*

Hervé regarde la planche de la bouche en se touchant les lèvres. Puis il va se regarder dans un miroir, fait toutes sortes de mouvements avec ses lèvres. Puis il prend une serviette de toilette et s'essuie les lèvres.

Quatrième tableau

La même chambre.
Personnage : Hervé.

Hervé. — Elle a raison. J'en ai plein la tête de cette anatomie. J'arrête pour aujourd'hui.

Il ferme le livre.

Pour me changer les idées, j'attaque la physiologie. *Il va chercher un autre livre.*

Voyons, par où vais-je commencer... Allez, j'ouvre au hasard. *Il lit* : « Les hormones de l'amour. » Eh bien, allons-y pour les hormones de l'amour. Où sont les planches ?

Il va chercher les planches correspondantes, les accroche et retourne à son bureau où il se met à lire à voix haute :

« Le comportement amoureux est lié à la mise en jeu de circuits neuronaux extrêmement complexes qui aboutissent à la sécrétion d'un certain nombre de neurotransmetteurs et de neurohormones. De ce jeu d'interconnexions et de sécrétions naissent nos émotions : désir, plaisir, amourachement, etc.

« L'enchaînement des réactions biochimiques peut se résumer de la façon suivante : votre partenaire survient... *Hervé se lève, se dirige vers la planche et suit du doigt les flèches tout en lisant* : aussitôt, elle vous envoie quantité de signaux : d'abord visuels et auditifs, puis olfactifs et bientôt tactiles. Ces signaux, votre vue, votre ouïe, votre odorat, votre peau, les captent et adressent derechef des messages sous forme d'influx nerveux à vos centres cérébraux.

« Le premier alerté est votre hypothalamus, ce cerveau inférieur où siègent les instincts, dont l'instinct sexuel. Les messages vont donc y réveiller votre pulsion sexuelle. C'est ainsi que la vue, la voix, l'odeur et le toucher de votre partenaire vous donnent envie de lui faire l'amour. Trois hormones sécrétées par l'hypothalamus sont alors responsables de votre désir : la dopamine, la lulibérine et la V.I.P., cette dernière plus précisément responsable de l'érection. C'est pourquoi, scientifiquement parlant, il serait plus juste de remplacer l'expression habituelle "J'ai envie de toi", par "Je sécrète pour toi de la dopamine, de la lulibérine et de la V.I.P".

« Pour vous préparer au passage à l'acte, l'hypothalamus donne à l'hypophyse l'ordre de branle-bas de combat. Aussitôt, l'hypophyse répercute l'ordre à toutes les glandes endocrines et principalement à la glande surrénale. Celle-ci décharge instantanément une certaine dose de noradrénaline qui a pour effet d'accélérer votre cœur, de faire monter votre tension et de vous faire horripiler les poils. Vous voilà tonique, prêt à l'attaque.

« Parallèlement, les messages de vos sens atteignent le mésencéphale, votre cerveau moyen, où se situent les centres limbiques qui sont le siège des émotions et de ces émotions particulières que sont le plaisir et l'amour. C'est alors que vous éprouvez un sentiment de bien-être et une bouffée de tendresse. La transformation de votre pulsion sexuelle en émotion est due à la sécrétion d'un grand nombre de neurotransmetteurs et de neurohormones. Citons la dopamine, les endomorphines alpha, bêta et gamma, les enképhalines, le G.A.B.A. et le L.H.R.H.

« Au total, le cerveau distille un véritable cocktail de substances biochimiques dont l'effet est de procurer une sensation de bien-être, voire d'euphorie, et une poussée d'amour. C'est pourquoi, toujours scientifiquement parlant, il serait plus exact, plutôt que le classique "Je t'aime", de déclarer : "Pour toi, je déborde de dopamine, de sérotonine, d'endomorphe, de L.H.R.H., etc." Mais voici que la partenaire se fait plus pressante. Alors, les signaux qu'elle émet croissent en intensité. Sa vue, son odeur, sa voix, jouent à plein tandis que son contact se précise. Du coup, l'hypothalamus augmente sa sécrétion de dopamine, faisant monter le désir. Quant aux centres limbiques, ils sécrètent en abondance leurs diverses substances, exaltant bien-être et sentiment amoureux. Au moment où survient le baiser, c'est le V.I.P. et le G.A.B.A. qui grimpent au zénith. Si les jeux amoureux se poursuivent, éclate bientôt l'orgasme. Le sujet atteint une asymptote de bien-être qui confine à l'ivresse. En même temps il est rempli d'un sentiment d'amour infini.

« On le voit, l'état amoureux est une situation où le sujet flotte dans un bain-marie de substances qui lui procurent une sensation de béatitude et de plénitude. Pour le public, on dit que le sujet "a des ailes" ou qu'il "voit la vie en rose". Et on appelle cela le grand amour. Mais en tant que médecin, il faut savoir que cette situation réalise un véritable état de dépendance. Les sécrétions que provoque en nous la fréquentation de la partenaire, leurs effets agréables, nous attachent à elle jusqu'à créer une sorte d'envoûtement. Pour le public, on appelle cela "avoir une femme dans la peau". En réalité, l'amoureux est biologiquement "accro" et il va vers son amoureuse comme il irait vers son *dealer*. Ici encore il faudrait remplacer l'illusoire "Je t'aime" par sa réalité biochimique, et dire "Donne-moi ma dose d'endomorphines". Le médecin, homme de science, devrait en ce qui le concerne avoir l'honnêteté de substituer le constat biologique à ses déclarations d'amour. »

Hervé stoppe sa lecture, pose le livre sur la table, souffle, secoue la tête comme pour sortir d'un cauchemar, s'ébroue, reste silencieux. Puis il se met à faire les cent pas, fait des gestes, lève les bras, s'arrête, réfléchit et repart.

Soudain, le téléphone sonne ; il sursaute.

Quatrième tableau

La même chambre.

Personnages : Hervé – Ariane, au téléphone.

Ariane. — Coucou, c'est encore moi, Ariane.

La voix parvient à Hervé comme d'un pays lointain. Il se ressaisit.

Hervé. — Oui, je t'écoute.

Ariane. — Excuse-moi de te rappeler, mais je ne sais pas ce que j'ai, je t'aime de plus en plus. Je t'aime trop même...

Hervé murmure.

Ariane. — Tu vois, tu m'as voulue, tu m'as eue et je t'ai dans la peau.

Hervé tousse.

Ariane. — Fallait pas si bien me faire l'amour. Maintenant, je suis attachée.

Hervé tousse plus encore.

Ariane. — Oui, maintenant, j'ai toujours envie de toi. Et quand tu n'es pas là, tu me manques tellement...

Hervé. — État de manque, donc dépendance.

Ariane. — Qu'est-ce que tu dis ?

Hervé. — Excuse-moi, je suis encore dans mes révisions. Ça me travaille au maximum.

Ariane. — Tu es toujours dans l'anatomie ? Pourtant, tu m'avais dit que tu allais changer.

Hervé. — J'ai changé, je suis dans la physio. Mais c'est encore pire.

Ariane. — Qu'est-ce qui est pire ?

Hervé. — Je t'expliquerai, je t'expliquerai. *Silence.* Dis, je suis en train de réfléchir, il faut qu'on fasse une prise de sang.

Ariane. — Une prise de sang ?

Hervé. — Oui.

Ariane. — Mais on en a fait une il y a trois mois, quand on s'est rencontrés.

Hervé. — Oui, mais c'était pour le sida. Là, c'est pour autre chose.

Ariane. — Alors pour quoi ? Tu es malade ?

Hervé. — Oui... non... enfin... c'est pour voir si on n'est pas malades.

Ariane. — Malades ?

Hervé. — Enfin pas vraiment malades... amoureux...

Ariane. — Je ne comprends pas.

Hervé. — Je me demande si on ne devrait pas doser notre lulibérine et nos endomorphines... pour voir si on s'aime vraiment ou bien si c'est purement biochimique.

Ariane. — Écoute, mon vieux, tout à l'heure je te trouvais bizarre, maintenant tu dérailles carrément. Tu travailles trop, tu vas craquer. Va voir ton ami... tu sais, celui qui est apprenti psy...

Hervé. — Bruno ?

Ariane. — Oui, Bruno. Il va t'éclaircir les idées et te remonter le moral. Allez, ciao.

Elle raccroche. Hervé réfléchit.

Hervé. — Elle a raison. Je m'y perds dans toutes ces informations. Je ne sais plus trop ce que c'est que l'amour. Bruno doit avoir une vision saine et optimiste des choses. Il va m'aider à m'y retrouver.

Hervé enfile son blouson et se prépare à sortir.

SIXIÈME TABLEAU

La même chambre.

Personnages : Hervé – Bruno, un ami étudiant en psychologie.

Hervé pose la main sur la poignée de la porte. À cet instant, on frappe.

Hervé. — Bruno ! Sans blague ! Tu sais chez qui j'allais de ce pas ? Chez toi, mon vieux ! Entre !

Bruno. — Qu'est-ce qui m'aurait valu l'honneur de votre visite, vous le brillant apprenti toubib ?

Hervé. — Le désir, la nécessité même, de rencontrer un aussi brillant apprenti psychologue.

Bruno. — Quel est votre problème, cher monsieur ?

Ils s'assoient.

Hervé. — Mon problème, c'est ça... *Il montre d'un geste large les planches d'anatomie*... et ça... *Il montre les planches de physiologie*. Un baiser, c'est ça... *Il montre les muscles de la bouche*. Et le septième ciel, c'est ça... *Il montre le schéma du cerveau et ses flèches*.

Alors, je me pose beaucoup de questions et essentiellement celle-ci : que devient l'amour dans tout ça ? Tu grattes un peu la peau et tu découvres que ce qui était beauté parfaite et irrésistible séduction n'est en réalité qu'assemblage de muscles, rembourrage de graisse...

Tu ouvres le cerveau et tu t'aperçois que ce que tu croyais amour sublime et bonheur suprême ne sont que cocktails de substances chimiques destinés à t'enivrer et à t'accrocher.

Bruno. — Enfin, Hervé, deviens adulte ! Il faut que je te dise, Hervé, je t'aime beaucoup, tu es un de mes meilleurs potes, mais je dois t'avouer que ta façon poétique, voire lyrique d'aimer, et spécialement ta passion pour cette Ariane, m'a toujours agacé. Je trouvais ça puéril. Tout miser ainsi sur la femme, sur l'amour, c'est faire fausse route, confondre le rêve et la réalité.

La réalité, c'est que les femmes ne sont extraordinaires que tant qu'on les farde des oripeaux de nos fantasmes et des scintillements de nos espoirs insensés. À vrai dire, ce sont des êtres bien ordinaires. Quant à l'amour que nous leur portons, c'est bien là notre suprême illusion.

Tu as disséqué l'amour à ta façon en te penchant sur la chair ; moi, je l'ai disséqué à ma façon en me penchant sur la psyché. Mais tu vois, on arrive à la même conclusion : l'amour est un leurre.

Tu me parlais du baiser du point de vue de la biologie : à mon tour de te dire ce qu'il est sous l'angle de la psychologie : il est tout simplement une régression au stade oral, à cette époque où, nouveau-nés, nous n'avions d'autre horizon que le sein de la mère et d'autre bonheur que de le sucer. La bouche était alors la seule zone érogène. Eh oui ! Embrasser, c'est retrouver le comportement alimentaire du bébé que nous fûmes. Bref, embrasser, en un mot, c'est téter. Le baiser est donc bien un leurre.

Hervé. — Ce n'est pas toi qui vas me rendre le goût du baiser...

Bruno. — Je continue. Leurre est aussi la relation entre les amants. Regarde comment agissent les amoureux à partir du moment où ils se rencontrent. Lui, il a à l'esprit l'image de la femme à aimer, sorte de cliché fait de superposition d'un portrait physique et d'une esquisse psychologique. Un jour, il rencontre une femme qui semble correspondre à son cliché. Alors il le plaque sur la femme et il tâche de faire coïncider image intérieure et être réel. Bien entendu, il ne peut y avoir coalescence absolue entre l'une et l'autre, mais il fait comme si. Là est son premier mensonge.

La femme, en face, capte plus ou moins ce que l'homme attend, et elle va faire en sorte de correspondre à ses attentes. Elle va se forcer à entrer dans le cadre, à ressembler au cliché. Là est son premier mensonge à elle.

Mais le jeu d'illusion ne s'arrête pas là. La femme a aussi son cliché intérieur de l'homme à aimer. Et elle va également le projeter sur l'être extérieur. Bien sûr ici aussi il y a décalage, mais elle va se persuader que c'est sans importance. C'est son deuxième mensonge.

Le second mensonge de l'homme est le suivant : il perçoit également ce que la femme souhaite voir en lui et il tente de se conformer à ce souhait. Il retouche donc sa propre image pour ressembler au cliché de la femme.

Total : quatre mensonges. Ainsi, d'emblée, la relation s'installe sur un jeu de dupes.

Hervé. — C'est fou ce que tu me remontes le moral !

Bruno. — Attends, ce n'est pas tout. Car en plus, le jeu est faussé à la base : il se fonde sur le souhait que l'on prête à l'autre, mais que savons-nous vraiment des besoins de l'autre ? Dans l'ignorance, nous leur prêtons nos propres attentes.

Faussé, le jeu l'est aussi, en ce sens qu'il a pour but de plaire à tout prix. Pour cela, nous allons renforcer en nous les traits qui nous sont favorables et gommer ceux qui nous sont défavorables. Inversement, nous allons nous convaincre que l'autre nous plaît vraiment en ne voyant que ses qualités et en fermant les yeux sur ses défauts.

Faussé, le jeu l'est enfin car pour se plaire réciproquement, nous voulons être semblables ; nous allons nous efforcer d'être ce que nous aimons de l'autre et pour cela copier ses attitudes, son langage, nous placer dans ses centres d'intérêt. Nous allons par ailleurs estomper ce qui nous différencie et donc limiter nos expressions personnelles et renoncer à nos propres attentes et plaisirs.

Finalement, chacun voit l'autre non tel qu'il est, mais tel qu'on veut qu'il soit. Et chacun se montre tel qu'il croit que l'autre le rêve. Ainsi chacun aime dans l'autre ses propres fantasmes projetés et la façade que l'autre propose, mais pas l'être réel et sa véritable personnalité.

Aussi, la relation n'est qu'un théâtre d'ombres et de reflets où chacun s'avance masqué ou paré de fantasmes, à travers un dédale d'écrans et de miroirs déformants. La suite de la relation se développera selon cette imposture, chacun s'acharnant à parfaire sa belle façade et s'accrochant à ses rassurants fantasmes pour ne pas décevoir, pour ne pas perdre.

Hervé. — Je voulais te voir dans l'espoir que tu me rendes quelque foi dans l'amour, mais là, tu m'achèves...

Bruno. — Il faut être lucide, Hervé !

Hervé. — Ne serais-tu pas plutôt cynique ?

Bruno. — Voilà plus de cent ans que Freud nous a appris tout ça et nous continuons à vivre et à aimer comme s'il n'avait rien dit.

Hervé. — J'aurai parié que tu allais me ressortir Freud. Et me parler de mon complexe d'Œdipe.

Bruno. — Tu es typiquement l'homme qui n'a pas résolu son attachement à sa mère. D'une main, tu tiens le cordon ombilical que rien, qu'aucune femme ne peut couper. De l'autre, un panier percé qu'aucun « je t'aime » ne peut remplir. On te suit à la trace :

du sang, des larmes et l'incessante complainte : « Aime-moi, aime-moi, aime-moi »...

Ce cordon, ton père l'a tranché à coups de hache, t'écartant de ta mère avant que tu aies pu faire cette provision d'amour qui t'aurait nourri toute ta vie. Voilà pourquoi tu vas mendier de femme en femme sans t'arrêter à aucune, car aucune ne te donnera l'amour d'une mère, aucune ne remplira ton panier percé.

Hervé. — Stop ! J'aime Ariane !

Bruno. — Alors pourquoi t'empares-tu de ce que tu découvres dans tes livres pour cesser de l'aimer ?

Revenons à la mère. N'as-tu pas remarqué que, par un trait ou un autre, soit physique, soit psychique, tes amoureuses ressemblaient à ta mère ?

Hervé. — Je n'y ai jamais songé.

Bruno. — On a toujours peur de regarder les choses en face.

T'es-tu également demandé comment il se faisait que chaque fois que tu voulais faire l'amour à une femme pour la première fois, tu n'y arrivais pas, ton membre renâclait ?

Hervé. — Comment le sais-tu ?

Bruno. — Je le supposais, compte tenu de ton profil psychologique.

Hervé. — Mon profil ?

Bruno. — Oui. Les hommes qui adorent les femmes comme des déesses, adorent leur mère à travers elles. À leur corps défendant. Alors, quand ils veulent s'unir à elles, un coup de hache surgit de l'inconscient et s'abat sur eux ; mais la cible ici, c'est le zizi !

Hervé. — Complexe de castration ?

Bruno. — Tu l'as dit ! Tu as appris tout ça en philo, mais du bout du mental. Maintenant que tu deviens adulte, tu l'apprends dans ta chair, dans ton cœur. Oui, tout homme qui aime est en face de sa blessure d'enfance : il a mal à sa mère !

Hervé. — Tu m'emmerdes. Ton Freud, il est « has been ».

Bruno. — Tu t'irrites parce que je touche ta plaie.

Hervé. — Je n'ai pas de plaie.

Bruno. — Tout homme a la même plaie, plus ou moins profonde. Mais tous, ou presque, s'en vont en répétant leur vie durant : « Je n'ai pas mal, je n'ai pas mal, je n'ai pas mal. » Mais la méthode Coué ne fait pas taire leur souffrance.

Hervé. — Supposons que j'aie bien cette plaie. Peux-tu me dire comment je puis la cicatriser ? Et guérir de ma mère ?

Bruno. — Tu le peux, tu as même le choix entre trois solutions.

La première consiste à prendre un billet d'avion pour la Nouvelle-Guinée. Là, tu te rendras dans la tribu des Baruya et tu demanderas qu'on te soumette aux rites d'initiation des adolescents. On t'emmènera dans une forêt où, durant trois jours, on te fouettera avec des orties et où on te fera des incisions dans la tête et sur le gland, de façon à te débarrasser des liquides féminins dont tu es pollué. Puis, pendant quatre ans, tu seras tenu à l'écart des femmes et tu subiras d'autres cruelles épreuves. Au bout du séjour, le gentil garçon que tu es sera transformé en un farouche guerrier.

Hervé. — Non merci, vraiment, non. La seconde solution ?

Bruno. — Tu t'engages dans les commandos. Tu y subiras un entraînement physique épuisant. On te fera marcher sous un soleil torride en frappant le sol de tes rangers et en battant l'air de ta baïonnette… tout en scandant : « Combats la femme qui reste en toi ! »

Hervé. — Ça ne me tente guère plus !

Bruno. — Alors, il ne reste qu'à entamer une psychanalyse. C'est la troisième solution. Enfin tu comprendras vraiment que ce que tu appelles amour n'est que manipulation de tes pulsions de mort, gesticulation de ton refoulé, jeu de cache-cache de tes complexes, état de manque, et j'en passe…

Et que l'amour n'est qu'immaturité et inanité. Si l'on souffre d'amour, c'est bien fait pour nous : l'amour est la punition de ceux qui n'ont su rester seuls.

Il faut que je parte. J'espère avoir éclairci tes idées. En tout cas, j'apprécie que tu deviennes adulte.

Hervé. — Je vais réfléchir à tout ça.

Bruno s'en va. Hervé reste comme abasourdi. Soudain, il saisit son blouson.

Hervé. — Fuir cette piaule, ce tombeau de l'amour, me retrouver au grand jour, à l'air frais, dans la rue. Voir des gens revêtus de leur peau et habillés de leurs vêtements. Voir des femmes parées de mousseline et de fards. Et boire à la terrasse d'un café, boire assez de vin pour oublier ce que les femmes ont derrière leur peau, et oublier ce qu'a l'amour derrière les mots.

Il sort.

La terrasse d'un café.

Personnages : Hervé – le Poète – des femmes, des hommes à la terrasse, ou qui passent sur le trottoir.

Les passantes portent sur le visage un masque figurant les muscles faciaux, sur le ventre un dessin figurant les intestins, sur les fesses un dessin figurant les muscles fessiers. Elles vont s'asseoir autour des tables, rejoignant les hommes qui y sont déjà.

Bientôt, un chanteur des rues survient, guitare à la main. Il s'arrête devant la terrasse, pose un pied sur une chaise et se met à chanter, en s'accompagnant, des chansons d'amour. Quand il a fini, il fait la quête avec un panier. Il s'arrête devant Hervé et tend le panier.

Hervé. — Tu n'auras rien, troubadour, tes mots sont creux. Autant laisser chanter le vent.

Le Poète. — Sire, vous êtes fâché avec l'amour. *Il désigne la chaise en face d'Hervé.* Tu permets ? *Il s'assied.*

Hervé garde son air indifférent.

Le Poète. — Tu te veux blasé, mais je sens ton désarroi.

Hervé. — Détrompe-toi, c'est toi qui me fais pitié. Tu enfiles des mots sans même savoir ce qu'il y a dessous.

Le Poète. — Mais l'essentiel n'est-il pas que je sache ce qu'il y a dessus ?

Hervé. — Toi qui le chantes, sais-tu bien ce qu'est un baiser ? En sais-tu la réalité ? Veux-tu que je te la dise ? N'as-tu pas peur de vomir ? Veux-tu que je te dise le nom des muscles, le nom des glandes, le…

Le Poète, *le coupant*. — Qu'importe le flacon pourvu qu'on ait l'ivresse. La bouche des femmes ne nous offre-t-elle pas cette jouissance suprême qui nous porte la tête dans la Grande Ourse ?

Hervé. — Mais tu en ignores l'anatomie !

Le Poète. — J'en connais la chair qui est tendre comme celle de l'agneau, moelleuse comme celle de l'oiseau. La bouche des femmes, vraiment, est un festin.

Hervé. — Si tu en savais l'envers...

Le Poète. — J'en sais la pulpe, un jour groseille, un jour cerise, un matin framboise, le soir cassis, mais toujours fruit de la passion. La bouche des femmes, vois-tu, est un verger.

Hervé. — Mais...

Le Poète, *le coupant*. — Un verger où court une brise qui est le souffle même de la vie. Que se suspende, ne serait-ce que trois minutes, ce va-et-vient léger que tu appelles respiration, et la flamme de la bougie s'éteint. Alors, songe que la femme qui t'offre sa bouche, qui te donne sa brise, c'est sa vie qu'elle te prête.

Hervé. — Ouais...

Le Poète. — Et aussi important que sa vie, la femme par sa bouche t'offre son amour. Car cette brise, elle l'habille de mots : « je t'aime », dit-elle, « je te désire », souffle-t-elle. Mots d'une puissance infinie, mots d'une brûlure insoutenable. Mots qui font de toi un dieu ou un esclave.

Hervé. — Mais si la femme est cette créature que tu dis, comment se fait-il qu'en d'autres siècles certains de tes confrères trouvères ont dénigré sa chair ? Je pense à ceux qui ont écrit les contre-blasons...

Le Poète. — Il y a toujours, vois-tu, des hommes que la divinité de la femme effarouche. Ils sont plus heureux ceux qui l'adorent, ceux par exemple qui ont décrit les blasons, tel ce blason du ventre :

« Ô ventre rond, ventre joly
Ventre sur tous le mieux joli
Ventre plus blanc que n'est l'albâtre
[...]
Ventre qui est plein de bonheur
Ventre où tous membres font honneur
[...]
Ventre qui est si digne
Que dedans toy l'enfant repose
[...]
Ventre qui jamais ne recule
Pour coup d'estoc ou bien de taille
En escarmouche ou en bataille
Ventre gratieux au taster
Encore plus à l'accointer
[...] »

Hervé soupire profondément.

Le Poète. — Homme de peu d'amour, tu ne sais donc aimer qu'en surface. Sans doute déclarais-tu à ton amante que tu l'aimais tout entière, de la tête aux pieds ; mais tu n'aimais que son extérieur. Tu lui jurais de l'aimer toujours, mais maintenant que tu l'imagines écorchée, ton amour s'enfuit. Piètre amour que le tien !

Hervé. — Mais comment aimer encore quand on a vu les coulisses de l'amour ?

Le Poète. — Plus de hauteur, mon cher, dans votre façon d'aimer ! Et plus de profondeur ! Dépassez ces vilenies, dépassez vos restrictions, dépassez-vous.

Mais creusez votre humilité. Aimez le dedans comme le dehors. Aimez ses muscles zygomatiques, ses glandes mammaires et son intestin grêle. Aimez-la corps et âme. Aimez, que diable !

Hervé. — Tu parles bien, troubadour, mais ne me convaincs pas encore. Admettons, cher ami, que le corps de la femme soit bien cette coupe de vermeil, mais sais-tu que le nectar que l'on y boit n'a rien de magique : il s'appelle dopamine, endomorphines, etc. Ah, si tu voyais, pauvre rêveur, les flots d'hormones que charrie ton sang quand tu dis : « Je t'aime », quand tu dis : « Je te veux »…

Tiens, regarde… *il trace une formule…* ton élixir d'amour, il s'écrit $C_4H_6O_8N_4$: 4 atomes de carbone, 6 d'hydrogène, 8 d'oxygène et 4 d'azote. Bientôt, les labos synthétiseront ces produits que pour l'instant seul ton cerveau élabore. Bientôt, l'amour, on le prescrira en comprimés et en ampoules injectables. Monsieur le Poète est-il en mal d'amour ? Qu'il prenne un comprimé d'amour matin, midi et soir, avant les repas. Monsieur le Poète est-il en panne d'inspiration ? Qu'on lui fasse une piqûre d'amour dans les fesses. Et Monsieur le Poète redeviendra amoureux. Et il regrattera sa guitare !

Hervé attrape le fou rire.

Le Poète. — Docteur, je vous croyais petit, vous êtes stupide aussi.

Hervé. — Et vous, monsieur le chanteur, aveugle. Vous ne voulez pas voir ce qui est évident, que l'amour est affaire d'humeurs et que nos émotions les plus belles et nos transports les plus fous relèvent non de je ne sais quelle magie, mais tout prosaïquement de la sécrétion de quelques molécules.

Le Poète. — Je vous avais dit « qu'importe le flacon, pourvu qu'on ait l'ivresse ». Maintenant je vous réponds « qu'importe le breuvage, pourvu qu'on ait l'ivresse ». Et subséquemment « ne prenez pas les parties pour le tout ».

Voyez-vous ce vin, c'est bien de l'éthanol, plus du glucose, plus du fructose, plus du tanin, plus des vitamines, plus etc. C'est donc également un bidouillage de carbone, d'hydrogène, d'oxygène. Mais quand je le bois, c'est une caresse de mon palais et une tendresse pour mon cerveau. Alors peu m'importent les molécules dont il se compose.

Hervé. — Mais encore ?

Le Poète *prend sa guitare et joue distinctement les notes do, ré, mi, fa, sol.* — Qu'as-tu entendu ?

Hervé. — Do, ré, mi, fa, sol.

Le Poète *joue maintenant un air d'amour connu.* — Et maintenant ?

Hervé. — C'est l'air X.

Le Poète *rejoue distinctement do, ré, mi, fa, sol.* — Ça, c'est la dopamine, l'endomorphine, etc.

Puis il rejoue l'air X. Ça, c'est l'amour.

Hervé. — Ouais… c'est tout ?

Le Poète. — Vous connaissez, docteur, la fable du renard et des raisins ? Un renard en maraude aperçoit, suspendue à une treille, une grappe de raisins dorés. Il tente de les attraper, mais n'y arrivant pas, il s'éloigne en déclarant ces raisins trop verts. Monsieur de La Fontaine en est resté là. Mais la suite de l'histoire, je vais vous la dire. Le renard revint avec un escabeau. Il y grimpa aussitôt et, perché sur la dernière marche, se mit à déguster les grains d'or. Le jus lui inonda le gosier et l'esprit. Tout empli de bonheur, il descendit et s'en alla en chantant, et en rendant grâce à... à quoi, monsieur le scientifique ?

Hervé. — Au jus de la treille, pardi !

Le Poète. — Exact, au jus de la treille et non à l'escabeau. Eh bien, monsieur le savant, vos molécules sont l'escabeau de l'amour, pas l'amour. C'est ce qui permet l'amour, mais ce n'est pas l'amour. Une dernière question, monsieur : aimez-vous les aurores boréales ?

Hervé. — J'en ai vu une dans un film documentaire. C'était fastueux, j'étais émerveillé.

Le Poète. — Et pourtant, monsieur, n'importe quel météorologiste vous dira que votre merveille n'est guère qu'un flux d'électrons négatifs refoulant quelques ondes électromagnétiques ou quelques flots de photons.

Cependant, vous, vous n'avez perçu que la beauté. Il en va de l'amour comme de la beauté, c'est ce qui se révèle au-delà de l'analyse de la matière. C'est ce qui reste lorsqu'on a oublié l'escabeau, les cordes, les tubes à essai.

L'amour comme la beauté, c'est ce que crée l'humain entre le tas de molécules et le divin : cette lisière radieuse où l'on n'est plus matière, où l'on n'est pas encore dieu.

Huitième tableau

La même terrasse de café.
Personnages : Hervé – le Poète.

Le Poète. — Faisons une pause, veux-tu. J'ai envie de me dégourdir les doigts.

Le Poète joue et chante, puis il revient près d'Hervé.

Hervé. — Tandis que tu jouais, j'ai réfléchi. Au fond de moi, je ne demande qu'à te croire et à retrouver le goût de la femme, le goût de l'amour. Les détails anatomiques et les neurohormones, bref, les contingences matérielles, ça, je pourrais les dépasser, grâce à toi. Mais ce qui me démotive le plus, et je pense à tout jamais, c'est de savoir que l'amour, si on en analyse les ressorts, n'a rien de grandiose, ni d'exaltant. Le sentiment amoureux est issu de névroses et la relation entre les amants est un jeu d'illusion. Oui, c'est ça qui me coupe les ailes.

Le Poète. — Je connais bien les psys et leurs thèses. Ils ont raison d'être lucides et de dénoncer les forces qu'ils appellent : refoulé, complexes, fantasmes, etc. En nous en faisant prendre conscience, ils nous permettent de réduire leurs funestes effets et nous donnent l'occasion de reprendre en main la conduite de notre vie.

Mais quand ils prétendent expliquer l'amour par des mécanismes névrotiques, alors ils passent de la lucidité au cynisme et à la négation. Penser que l'amour n'est que la somme de nos complexes débouche sur le néant. Ceux qui le pensent me rappellent cet homme qui, voulant comprendre le temps, se mit à démonter sa pendule. Quand il se retrouva devant les rouages épars, les aiguilles immobiles et le timbre silencieux, il n'avait toujours pas compris ni saisi le temps. De même, ce n'est pas en démontant notre refoulé qu'on démontre l'amour. L'amour ne peut se résumer à ses ressorts analytiques. Pas plus que Harvey ne pouvait trouver l'âme sous son scalpel et les biologistes l'esprit dans leurs éprouvettes, le psy ne peut trouver l'amour, son essence, sa transcendance, sous son analyse.

Hervé. — Tu es quand même d'accord avec moi : l'amour est trop souvent un jeu d'illusions. Prends l'état amoureux, cet état de grâce qui suit la rencontre, eh bien il est évident que la relation entre les partenaires n'est guère qu'une partie de poker menteur et...

Le Poète, *le coupant*. — Je connais Bruno et je sais ce qu'il a pu te dire. Mais s'il est vrai que l'état amoureux comprend une partie d'illusion liée aux fantasmes projetés et aux masques empruntés, tout n'y est pas fallacieux. En chacun des amants préexistaient des scintillements, ne serait-ce qu'à l'état latent, et tant mieux si la rencontre a exalté la lumière. Pourquoi ne pas profiter de l'énergie de l'amour pour épanouir le meilleur de soi, sa part divine, et réduire le pire, sa part d'ombre ?

Car l'état amoureux constitue un colossal potentiel d'énergie qu'on peut utiliser pour opérer en soi une prodigieuse transformation. C'est une chance fabuleuse de s'enrichir et de progresser. C'est un renouveau, c'est une renaissance, c'est une explosion de l'élan vital, une multiplication de son être. Tout est intense, plein, dense. On se sent plus vivant que jamais. C'est une opération magique, et le désir, au cœur de l'amour, en est le magicien.

Hélas, il est vrai aussi que, trop souvent, cet état ne dure pas. À vivre au quotidien, l'exaltation retombe, les miroirs se brisent et les fantasmes se dissipent. Chacun apparaît tel qu'il est. Si la relation s'était fondée sur trop d'illusions, elle s'écroule comme château de cartes. Si elle s'était édifiée sur de solides affinités, seuls quelques pans se disloquent.

Mais dans un cas comme dans l'autre, rien n'est perdu. Au contraire, bénis le jour où ton aimée apparaît à toi dans sa vérité. Car alors le destin t'offre la chance d'accéder à l'amour véritable. Elle n'est pas tout à fait comme tu l'avais rêvée ? Décide dès lors de l'aimer telle qu'elle est. Aimer vraiment, c'est accepter l'autre comme il est, lui permettre d'être lui-même.

Et si tu la croyais semblable à toi et qu'en réalité elle se révèle différente, aime-la pour ses différences, car elles sont sa vraie personnalité. Et réjouis-toi de ces différences car elles te prémunissent contre l'ennui qui, tu le sais, naît de l'uniformité, alors que les dissemblances enrichissent la relation.

Bénis aussi ce jour pour toi, car tu pourras te montrer tel que tu es, tu pourras être toi-même.

Bénis enfin ce jour pour vous, car vous pourrez alors construire un couple solide. Le couple, en effet, suppose deux êtres authentiques.

Reste à vous souhaiter à tous deux beaucoup de courage, car à être soi-même on court le risque d'être jugé, de déplaire et d'être abandonné.

Hervé. — Amour véritable... ! Le mot qui fait rêver ! Mais y croire suppose que l'énergie de l'état amoureux soit plus forte que nos névroses. Suppose aussi que l'amour existe... or je suis persuadé que l'amour que l'homme porte à une femme n'est, le plus souvent, qu'un complexe d'Œdipe non résolu, autrement dit, que ce qu'il croit être de l'amour n'est qu'une nostalgie de l'attachement à la mère.

Le Poète. — Effectivement, si tu vois les choses sous cet angle, si tu t'arrêtes à ce freudisme primaire, je comprends que tu te détournes de l'amour.

Hervé. — Mais enfin, l'attachement à la mère est viscéral ! Comment veux-tu qu'un être qui a vécu dans le ventre d'une femme, baignant dans ses humeurs, bercé par sa respiration, enveloppé de ses émotions, un être qui ensuite a connu intimement sa bouche, son sein, son ventre, son sexe et leur douceur, leur chaleur, leurs odeurs, comment veux-tu qu'un tel être ne soit pas attaché corps et âme et de façon irrémédiable à cette femme ? Comment veux-tu qu'il n'ait pas la nostalgie de ce corps à corps parfait, de cette béatitude, de ce bonheur absolu ? Comment veux-tu qu'il cesse de chercher, sa vie durant, à réactualiser ce premier amour, inscrit dans sa peau, dans ses viscères, dans son cœur ? Et qu'il ne rêve pas de faire de son amante une mère, comme il avait fantasmé de faire de sa mère une amante ?

Le Poète. — De sa mère une amante ? Halte-là, je ne pense pas que la relation bébé-mère ait une connotation sexuelle. Sensuelle, oui, affective aussi. Cela dit, il est évident que l'attachement est fondamental. Mais résumer l'amour à la nostalgie de cet attachement, ou pire, faire sans nuance de cet attachement quelque chose de foncièrement mauvais, c'est s'égarer. Ce qui pourrait être mauvais dans ce lien, c'est l'emprise de la mère réelle, identifiée, car cette emprise risque d'interférer dans la relation que le fils établit avec une autre femme. La sagesse des Nations, par la voix de la Bible, n'avait-elle pas prescrit : « C'est pourquoi l'homme quittera son père et sa mère et il devra s'attacher à sa femme et ils deviendront une seule chair. » Oui, de cette emprise l'homme devra se libérer.

Par contre, ce qui, dans l'attachement, constitue l'empreinte de la mère, doit être cultivé…

Hervé, *le coupant*. — Qu'appelles-tu l'empreinte ?

Le Poète. — L'empreinte, c'est ce qui reste en soi de la mère réelle quand on s'en est libéré, c'est, dans l'absolu, ce goût inculqué d'une étroite intimité, ce goût éveillé de la tendresse. Et la conscience, mais non la nostalgie, qu'il existe un idéal de relation, un modèle de corps à corps.

En soi, l'empreinte est bonne, et à partir d'elle on pourra transmuter l'attachement et parvenir au véritable amour.

Hervé. — De quelle façon, dis-moi ?

Le Poète. — Par la prise de conscience. Prendre conscience, autrement dit la « conscientisation », a un pouvoir de transformation étonnant.

La première prise de conscience consiste à se demander si le sentiment qu'on éprouve ne serait pas une manipulation de l'attachement primitif, autrement dit une forme de nostalgie du passé. Pour le savoir, il suffit que l'homme qui aime s'interroge sur sa façon d'aimer. S'il constate qu'il est plus dans le besoin d'être aimé que dans le don d'amour, s'il constate que son besoin d'amour est intarissable et le laisse trop souvent sur une impression de manque mêlée de souffrance, c'est qu'il recherche l'amour d'antan. Qu'il se dise bien consciemment : « Je suis mal et je souffre parce que j'attends toujours qu'une femme m'aime exactement comme une mère aime un enfant. » La prise de conscience du processus qui cause la souffrance suffit souvent à atténuer cette souffrance.

Hervé. — Crois-tu vraiment que prendre conscience peut y changer quelque chose ?

Le Poète. — Dans la souffrance, comme dans la maladie, la conscientisation permet de prendre du recul par rapport à son mal. Encore faut-il poursuivre ce travail. Il s'agit maintenant que l'homme se pose cette seconde question : « Qu'est-ce qui est douloureux dans mon attente ? » La réponse, il la trouve en analysant le contenu de son attachement à la mère, triant ce qui est heureux de ce qui est néfaste. Le positif de la relation à la mère, c'est la sollicitude des partenaires, leur spontanéité, leur sensibilité, leur créativité, leur abandon, leur désir de partage. Ça, on conserve. Le négatif, c'est leur exigence, leur exclusivité et donc la jalousie – et le besoin permanent de fusion. Ça, on jette. En ce qui concerne la fusion, on la pratique par séquences au cours desquelles les amoureux s'offriront des moments de bonheur absolu.

Ainsi épurée, la relation mère-enfant peut être un modèle de relation.

Hervé. — Quand même, prendre ce modèle, n'est-ce pas risquer d'entretenir la nostalgie chez l'homme et le condamner à mendier des restes du paradis perdu ?

Le Poète. — Si tu l'as épurée, prendre ce modèle c'est faire un projet et non subir une nostalgie. Et tenter de le réaliser, c'est une quête et non une mendicité, une quête au sens le plus grand, une quête dont l'enjeu grandiose est l'avenir.

C'est alors, pour l'homme, le moment de se poser la troisième question : « Que faire de la mère en moi ? »

Hervé. — Oui, que vais-je en faire ?

Le Poète. — Tu en feras une femme, ta femme intérieure. Dès ta conception, tu étais fait d'une part féminine et d'une part masculine. Ta part féminine, c'est ce qu'il y a en toi de tendresse exquise, de subtile sensibilité, c'est ta belle part, c'est l'essence de ton âme. L'empreinte de ta mère l'a nourrie, fortifiée ? À toi de faire de l'union de ta part féminine et de l'empreinte de ta mère une femme intérieure.

Cette femme intérieure, c'est elle qui t'enlèvera la nostalgie de la mère, elle qui pansera tes blessures d'enfance, elle qui te guidera vers l'amour véritable, elle qui inspirera les chants de ton âme.

Hervé. — Tu as dit « C'est elle qui pansera mes blessures »… – mon mal à la mère ?

Le Poète. — Oui. À condition que tu opères encore une prise de conscience : reconnaître que tu as cette blessure et que tu en souffres.

Les hommes n'ont jamais eu l'humilité de le faire, ils ont traversé les siècles en criant : « Je n'ai pas mal. » Mais comme ils souffraient très fort quand même, ils ont immolé la mère en eux pour se venger, ils ont tué la femme en eux pour ne plus sentir. Alors, amputés de leur part féminine, endurcis, ils sont devenus des bourreaux pour les autres et pour eux-mêmes. Voilà des millénaires qu'ils s'éreintent à courir après l'argent et la célébrité, qu'ils tuent et torturent, qu'ils font la guerre !

Hervé. — Pourquoi n'ont-ils pas demandé aux femmes de les panser ?

Le Poète. — Ils l'ont fait, ils n'ont fait que ça. Et les femmes n'ont fait que panser.

Hervé. — Alors ?

Le Poète. — La blessure de l'homme est telle que pour se fermer complètement et définitivement, il faudrait un amour si total ou si constant, que seule une mère pourrait le donner. La plupart des femmes s'y adonnent un certain temps, puis elles se lassent car l'homme blessé n'en a jamais assez et ne cesse de se plaindre. En plus, il ne fait aucun effort pour se panser lui-même. Et puis toutes les femmes n'ont pas une vocation de mère pour leur mari, ni une vocation d'Osiris, cette princesse égyptienne qui recolla les morceaux de son époux déchiqueté.

C'est pourquoi l'homme va de femme en femme. Et les passantes de panser, et les pansements de passer.

Hervé. — C'est donc à l'homme à se cicatriser tout seul ?

Le Poète. — Il doit faire comme s'il ne devait compter que sur lui-même. Mais s'il fait l'effort de se soigner, la femme le secondera volontiers. Aide-toi, la femme t'aidera !

Hervé. — Et comment peut-il se panser lui-même ?

Le Poète. — C'est encore par une opération alchimique qu'il y parviendra.

D'abord, l'homme doit savoir que ce n'est pas l'adulte qu'il est qui est blessé, mais l'enfant qu'il a au fond de lui. Il demandera donc à cet adulte, ou plus précisément à sa part paternelle qu'on appelle le père intérieur, de se pencher sur cet enfant.

Ainsi, c'est le père intérieur qui rassurera, valorisera et raisonnera l'enfant intérieur. S'il n'y réussit pas tout à fait, alors il fera appel à ce personnage dont l'importance va se révéler enfin ici : la femme intérieure. C'est elle qui cajolera et consolera le môme.

Hervé. — J'insiste : pourquoi ne pas demander cela à une femme extérieure ?

Le Poète. — Je te le répète, l'enfant blessé est un sale gosse qu'aucune caresse extérieure ne peut calmer vraiment ; il n'arrête pas de brailler et de réclamer et pour lui tout seul. Et les femmes extérieures ne veulent plus être la mère de tout le monde, elles ont assez avec leurs enfants. Et elles ne veulent plus n'être que mères. Si tu ne veux pas que ta relation avec ton aimée capote, laisse à l'écart l'enfant pleureur.

Hervé. — Alors définitivement, les femmes ne veulent plus materner ?

Le Poète. — Si tu entends par là s'occuper du pleurnicheur, non, elles ne le veulent plus. Mais heureusement, l'enfant intérieur n'est pas que ça, il a aussi son bon côté. C'est Jean qui pleure, Jean qui rit. Et le rieur, elles l'adorent. C'est lui qui sait jouer, câliner, s'abandonner. C'est lui qui donne sa fraîcheur et sa couleur à la vie ; il est précieux. Alors oui, celui-là, elles veulent bien le materner. Mais ici, materner, ça veut dire jouer à la tendresse et chérir, et en retour être chérie. Car, on l'oublie, les femmes ont elles aussi connu les béatitudes originelles. Alors oui, elles adorent les échanges qui se déploient dans tous les sens : tantôt l'un materne l'enfant rieur de l'autre, tantôt l'autre materne l'enfant rieur du premier, tantôt les deux enfants rieurs s'ébattent ensemble. Ici, le maternage n'est plus le monopole d'aucun sexe, c'est le don universel.

À ce niveau, tu vois bien que le problème de l'attachement œdipien vole en éclats et que l'amour peut se développer sans entraves.

Hervé. — !

Le Poète. — À faire systématiquement une névrose de l'attachement à la mère et à en faire l'axe de l'amour, on le dramatise. Comme on dramatise le détachement qui, dès lors, ne peut se faire que de façon sanglante et douloureuse en tranchant le cordon et en extirpant la part tendre de l'homme. L'homme alors n'est plus qu'une plaie, avec les conséquences que tu sais. C'est pourquoi j'essaie de dédramatiser. Le cordon, je préfère le dénouer ou le dissoudre par la prise de conscience. Et l'attachement, le transmuter en tendresse réciproque. Quant à la plaie, si elle existe, je la dédramatise en la situant sur le seul enfant pleureur.

Hervé. — À t'entendre, j'ai l'impression que tout le problème de l'homme consiste à savoir ce qu'il doit faire de sa féminité.

Le Poète. — Voilà pourquoi, cher docteur, il vaut mieux qu'il consulte un poète qu'un psychiatre. Freud lui-même, vous en souvenez-vous, n'avait-il pas avoué : « Si vous voulez en apprendre davantage sur la féminité, interrogez votre propre expérience, adressez-vous au poète. »

Car le poète est celui qui a su préserver et cultiver sa part féminine. Et celui qui a su accueillir et épouser sa femme intérieure ; il l'appelle sa « muse ». Il l'appelle aussi « divine » car il sait qu'elle est son âme.

Hervé. — Heureux poète pour qui la femme n'a plus de mystère.

Le Poète. — Malheureux ! J'espère que c'est votre dernier blasphème ! Car apprenez, monsieur le scientifique, que la femme demeure un mystère insondable. Un mystère que l'on ne peut connaître mais que l'on pressent. Il a l'odeur du jasmin, la couleur de l'aube et la douceur du satin, mais sa beauté a la force du soleil. Il a la voix du rossignol et l'élégance de la tourterelle, mais sa puissance est celle des félins. Il a la saveur des croissants, le pétillement du champagne, mais son ivresse l'emporte sur l'absinthe. Son cœur est d'iris, sa profondeur celle de notre espérance, sa hauteur celle de nos rêves.

Hervé. — Ô Poète, tu m'as rendu la foi, tu m'as rendu l'amour. Comment te remercier ?

Le Poète. — Tu n'avais perdu ni l'amour ni la foi. Tu les avais égarés. Tu t'étais livré à une crise de cérébralité. Mais à trop penser, à trop verbaliser, on ne récolte que des mots : névrose, programme génétique, karma, que sais-je ? Et l'on s'écarte de la vérité de l'amour.

Hervé. — Parle-moi de la vérité de l'amour.

Le Poète. — C'est en nous ce qui brille, ce qui brûle, ce qui vit si fort, ce qui nous élargit, ce qui nous élève, ce qui nous porte vers l'autre, vers les autres. C'est notre part divine, celle qui rend sacrée l'aimée, celle qui nous inspire ce désir d'absolu et d'éternité, celle qui nous rend à l'essence de l'être et nous fait rejoindre l'essence du monde.

Voilà ce qu'inscrit en nous l'amour.

Hervé. — Mais l'amour lui-même, qu'est-il, d'où vient-il ?

Le Poète. — L'amour est un mystère aussi. On n'en connaît que les traces en nous, ce que j'ai appelé la vérité de l'amour, ce qu'on en ressent. À suivre son sillage, certains poètes disent que c'est une lumière qui zèbre les ténèbres et nous illumine en passant ; d'autres affirment que c'est un feu qui court à travers le temps et nous lance un brûlot au passage ; un autre avance que c'est un souffle qui parcourt l'espace et nous soulève en nous frôlant ; j'en connais même un qui prétend que c'est la vie elle-même qui dévale le monde et nous inonde par instants.

D'où vient-il ? D'au-delà de toi, d'au-delà de la mère, d'au-delà de l'océan. Des étoiles sans doute. De Dieu peut-être ?

Alors ce mystère, accueille-le, laisse-toi porter par lui, mets-toi à son service, comme s'y mettent ton karma, tes gènes, ton cerveau, tes hormones et tes muscles.

Et quand tu reverras Ariane, laisse-toi emporter avec elle jusqu'à l'inaccessible.

Scène finale

La même terrasse de café.

Personnages : Hervé – le Poète – Ariane – les clients – les passants

Hervé, *radieux, chante* :

« Oui, je transcenderai,
Oui, je me dépasserai.
Et quand je verrai tes yeux, ô Ariane,

Je dirai : j'aime ta sclérotique, ton muscle pathétique, ton iris,

Ô oui, comme j'aime ton regard, Ariane !
Et quand je verrai ton sourire, ô ma chérie,
Je chanterai : j'aime ton zygomatique, tes incisives et tes canines,
Ô ma chérie, si tu savais comme j'aime ton sourire !

Et quand je verrai ta bouche, mon amour,
Je crierai : j'aime tes orbiculaires des lèvres et ta langue aux dix-sept muscles,
Et tes roses muqueuses et le suc de tes glandes salivaires !
Ô mon amour, j'aime tes baisers plus que tout !

Oui, je t'aimerai corps et âme
De tout mon corps, de toute mon âme,

Et j'aimerai hors ma blessure
Sans douleur et sans nostalgie.

Je t'aimerai en ta liberté
Sans peur et sans reproche.

Et je t'aimerai en ta vérité
Sans leurre et sans mensonge.

Je serai ton chevalier
Tu seras ma muse.

Et nous volerons, oui nous volerons
Vers l'inaccessible étoile. »

Tandis qu'Hervé chantait, Ariane est arrivée et le regarde, amusée.

Soudain, Hervé l'aperçoit, ils courent l'un vers l'autre, ils s'étreignent, ils tourbillonnent et se mettent à danser.

Alors, toutes les femmes et tous les hommes de la terrasse, et ceux qui passent, jettent leurs masques et dansent.

Bibliographie

1. Hall (Edward), *La Dimension cachée*, Le Seuil.

2. Morris Desmond, *Le Singe nu*, Grasset.

3. Leleu Gérard, *Le Traité du plaisir*, J'ai lu.

4. Montagu Ashley, *La Peau et le Toucher*, Le Seuil.

5. Leleu Gérard, *Le Traité des caresses*, Flammarion ; J'ai lu.

6. Leleu Gérard, *Le Traité du désir*, Flammarion ; J'ai lu.

7. Salomon Paule, *La Femme solaire*, Albin Michel.

— *La Sainte Folie du couple*, Albin Michel.

8. Salomé Jacques, *Parle-moi, j'ai des choses à dire*, Éditions de L'Homme.

— *Jamais seuls ensemble*, Éditions de L'homme.

9. Leleu Gérard, *La Mâle Peur*, J'ai lu.

10. Leleu Gérard, *Amour et calories*, Flammarion ; J'ai lu.

11. Tannen Deborah, *Décidément tu ne me comprends pas*, Robert Lafont ; J'ai Lu.

12 Servan-Schreiber Perla, *La Féminité, de la liberté au bonheur*, Stock.

Bien-être, des livres qui vous font du bien

Psychologie, santé, sexualité, vie familiale, diététique... : la collection Bien-être apporte des réponses pratiques et positives à chacun.

Psychologie

Thomas Armstrong
Sept façons d'être plus intelligent - n° 7105

Jean-Luc Aubert et Christiane Doubovy
Maman, j'ai peur – Mère anxieuse, enfant anxieux ? - n° 7182

Anne Bacus & Christian Romain
Libérez votre créativité ! - n° 7124
Murmures sur l'essentiel – Conseils de vie d'une mère à ses enfants - n° 7225

Simone Barbaras
La rupture pour vivre - n° 7185

Martine Barbault & Bernard Duboy
Choisir son prénom, choisir son destin - n° 7129

Deirdre Boyd
Les dépendances - n° 7196

Nathaniel Branden
Les six clés de la confiance en soi - n° 7091
Maître de ses choix, maître de sa vie - n° 7127

Sue Breton
La dépression - n° 7223

Jack Canfield et Mark Victor Hansen
Bouillon de poulet pour l'âme - n° 7155
Bouillon de poulet pour l'âme 2 - n° 7241
Bouillon de poulet pour l'âme de la femme *(avec J.R. Hawthorne et M. Shimoff)* - n° 7251
Bouillon de poulet pour l'âme au travail - n° 7259

Richard Carlson
Ne vous noyez pas dans un verre d'eau - n° 7183
Ne vous noyez pas dans un verre d'eau... en famille ! - n° 7219
Ne vous noyez pas dans un verre d'eau... en amour ! *(avec Kristine Carlson)* - n° 7243

Steven Carter & Julia Sokol
Ces hommes qui ont peur d'aimer - n° 7064

Chérie Carter-Scott
Dix règles pour réussir sa vie - n° 7211

Loly Clerc
Je dépense, donc je suis ! - n° 7107

Guy Corneau
N'y a-t-il pas d'amour heureux ? - n° 7157
La guérison du cœur - n° 7244

Lynne Crawford
La timidité - n° 7195

Christophe Fauré
Vivre le deuil au jour le jour - n° 7151

Daniel Goleman
L'intelligence émotionnelle - n° 7130
L'intelligence émotionnelle 2 - n° 7202

Nicole Gratton
L'art de rêver - n° 7172

John Gray
Les hommes viennent de Mars, les femmes viennent de Vénus - n° 7133
Une nouvelle vie pour Mars et Vénus - n° 7224
Mars et Vénus, les chemins de l'harmonie - n° 7233
Mars et Vénus, 365 jours d'amour - n° 7240

Marie Haddou
Savoir dire non - n° 7178
Avoir confiance en soi - n° 7245

James Hillman
Le code caché de votre destin - n° 7256

Evan Imber-Black
Le poids des secrets de famille - n° 7234

Sam Keen
Être un homme - n° 7109

Barbara Killinger
Accros du boulot - n° 7116

Jean-Claude Liaudet
Dolto expliquée aux parents - n° 7206

Dr Gérard Leleu
La Mâle Peur - n° 7026
Amour et calories - n° 7139
La fidélité et le couple - n° 7226
L'intimité et le couple - n° 7260

Christine Longaker
Trouver l'espoir face à la mort - n° 7179

Ursula Markham
Le deuil - n° 7230
Les traumatismes infantiles - n° 7231

Bernard Martino
Le bébé est une personne - n° 7094

Alan Loy McGinniss
Le pouvoir de l'optimisme - n° 7022

Pia Mellody
Vaincre la dépendance - n° 7013

Yannick Noah
Secrets, etc. - n° 7150

Robin Norwood
Ces femmes qui aiment trop – 1 - n° 7020
Ces femmes qui aiment trop – 2 - n° 7095

Armelle Oger
Et si l'on changeait de vie - n° 7258

Vera Peiffer
Soyez positifs ! - n° 7118

Xavier Pommereau
Quand l'adolescent va mal - n° 7147

Anthony Robbins
Pouvoir illimité - n° 7175

Henri Rubinstein
La dépression masquée - n° 7214

Jacques Salomé
Papa, maman, écoutez-moi vraiment - n° 7112
Apprivoiser la tendresse - n° 7134

Barbara Sher et Barbara Smith
Vous êtes doué et vous ne le savez pas - n° 7141

Elaine Sheehan
Anxiété, phobies et paniques - n° 7213

Deborah Tannen
Décidément, tu ne me comprends pas ! - n° 7083

Nita Tucker
Le grand amour pour la vie - n° 7099

Isabelle Yhuel
Mère et fille, l'amour réconcilié - n° 7161
Quand les femmes rompent - n° 7201

Rika Zaraï
Ces émotions qui guérissent - n° 7114

Santé

Joanna Bawa
Santé et ordinateur : le guide quotidien - n° 7207

Dr R. Aron-Brunetière
La beauté et les progrès de la médecine - n° 7006

Dr Martine Boëdec
L'homéopathie au quotidien - n° 7021

Dr Jacques Boulet
Se soigner par l'homéopathie - n° 7165

Julia Buckroyd
Anorexie et boulimie - n° 7191

Dr Jean-Pierre Cahané et Claire de Narbonne
Nourritures essentielles - n° 7168

Chantal Clergeaud
Un ventre plat pour la vie - n° 7136

Dr Julien Cohen-Solal
Comprendre et soigner son enfant – I - n° 7096
Comprendre et soigner son enfant – II - n° 7097

Bruno Comby
Tabac, libérez-vous ! - n° 7012

Dr Lionel Coudron
Stress, comment l'apprivoiser - n° 7027
Mieux vivre par le yoga - n° 7115

Dr J.G. Drevet & Dr C. Gallin-Martel
Bien vivre avec son dos - n° 7002

Dr David Elia
Comment rester jeune après 40 ans
Version hommes - n° 7110
Comment rester jeune après 40 ans
Version femmes - n° 7111
Le bonheur à 50 ans - n° 7184

Pierre Fluchaire
Bien dormir pour mieux vivre - n° 7005
Plus jamais fatigué ! - n° 7015

Dr Pierrick Hordé
Allergies, le nouveau fléau ? - n° 7248

Arthur Janov
Le corps se souvient - n° 7257

Chris Jarmey
Le shiatsu - n° 7242

Henri Loo & Henri Cuche
Je suis déprimé mais je me soigne - n° 7009

Dr E. Maury
La médecine par le vin - n° 7016

Maurice Mességué
C'est la nature qui a raison - n° 7028

Dr Sylvain Mimoun
Des maux pour le dire - n° 7135

Stewart Mitchell
Initiation au massage - n° 7119

Peter Mole
L'acupuncture - n° 7189

Lionelle Nugon-Baudon
Maisons toxiques - n° 7229

Pierre Pallardy
Les chemins du bien-être - n° 7001
La forme naturelle - n° 7007
Le droit au plaisir - n° 7063

Jean-Louis Pasteur
Toutes les vitamines pour vivre sans médicaments - n° 7081

Jean-Yves Pecollo
La sophrologie - n° 3314
La sophrologie au quotidien - n° 7101

Vicki Pitman
La phytothérapie - n° 7212

Dr Hubert Sacksick
Les hormones - n° 7205

Jon Sandifer
L'acupression - n° 7204

Debbie Shapiro
L'intelligence du corps - n° 7208

Sidra Shaukat
La beauté au naturel - n° 7222

Dr Bernie S. Siegel
Vivre la maladie - n° 7131

Rochelle Simmons
Le stress - n° 7190

Dr Nadia Volf
Vos mains sont votre premier médecin - n° 7103

Andrew Weil
Le corps médecin - n° 7210
Huit semaines pour retrouver une bonne santé - n° 7193

Diététique

Agnès Beaudemont-Dubus

La cuisine de la femme pressée - n° 7017

Marie Binet & Roseline Jadfard

Trois assiettes et un bébé - n° 7113

Dr Alain Bondil & Marion Kaplan

Votre alimentation - n° 7010
L'alimentation de la femme enceinte et de l'enfant - n° 7089
L'âge d'or de votre corps - n° 7108

André Burckel

Les bienfaits du régime crétois - n° 7247

Sonia Dubois

Maigrissons ensemble ! - n° 7120
Restons minces ensemble ! - n° 7187

Dr Pierre Dukan

Je ne sais pas maigrir - n° 7246

Annie Hubert

Pourquoi les Eskimos n'ont pas de cholestérol - n° 7125

Dr Catherine Kousmine

Sauvez votre corps ! - n° 7029

Marianne Leconte

Maigrir - Le nouveau bon sens - n° 7221

Colette Lefort

Maigrir à volonté - n° 7003

Michel Montignac

Je mange donc je maigris… et je reste mince ! - n° 7030
Recettes et menus Montignac - n° 7079
Comment maigrir en faisant des repas d'affaires - n° 7090
La méthode Montignac Spécial Femme - n° 7104
Mettez un turbo dans votre assiette - n° 7117
Je cuisine Montignac - n° 7121
Restez jeune en mangeant mieux - n° 7137
Recettes et menus Montignac (2) - n° 7164
Boire du vin pour rester en bonne santé - n° 7188

Lionelle Nugon-Baudon

Toxic-bouffe Le dico - n° 7216

Philippe Peltriaux et Monique Cabré

Maigrir avec la méthode Peltriaux - n° 7156

Nathalie Simon

Mangez beau, mangez forme - n° 7126

Thierry Souccar

La révolution des vitamines - n° 7138

Sexualité

Dr Éric Dietrich & Dr Patrice Cudicio

Harmonie et sexualité du couple - n° 7061

Régine Dumay

Comment bien faire l'amour à une femme - n° 7227
Comment bien faire l'amour à un homme - n° 7239

Céline Gérent

Savoir vivre sa sexualité - n° 7014

Françoise Goupil-Rousseau

Sexualité : réponses aux vraies questions des femmes - n° 7025

John Gray

Mars et Vénus sous la couette - n° 7194

Barbara Keesling

Comment faire l'amour toute la nuit - n° 7140
Le plaisir sexuel - n° 7170

Brigitte Lahaie

Les chemins du mieux-aimer - n° 7128

Dr Gérard Leleu

Le traité des caresses - n° 7004
Le traité du plaisir - n° 7093
Le traité du désir - n° 7176

Dagmar O'Connor
Comment faire l'amour à la même personne... pour le reste de votre vie - n° 7102

Jean Paccalin
Une pilule nommée désir - n° 7180

Vie familiale

Edwige Antier
J'aide mon enfant à se concentrer - n° 7232
L'enfant de l'Autre - n° 7250

Etty Buzyn
Papa, maman, laissez-moi le temps de rêver - n° 7132

Béatrice Cakiroglu
Les droits du couple - n° 7018

Roberta Cava
Réussir et être heureuse au travail - n° 7082

Françoise Civeyrel
Consommez bien. Dépensez mieux - n° 7098

Dr Julien Cohen-Solal
Être heureux à l'école ? - n° 7173
Les deux premières années de la vie - n° 7203

Carolyn et Philip A. Pape Cowan
1+1 = 3 - n° 7065

Brian A. Grosman avec Allan Reznik
Protégez votre emploi - n° 7085

Brigitte Hemmerlin
Maman Solo - n° 7100

Vicki Iovine
Grossesse, le guide des copines - n° 7176

Hélène de Leersnyder
Laissez-les faire des bêtises - n° 7106

Gerry Marino & Francine Fortier
La nouvelle famille - n° 7122

Anne-Marie Mouton
500 conseils pour réussir votre grossesse - n° 7023

Heather Noah
S'épanouir en attendant bébé - n° 7252

Jocelyne de Rotrou
La mémoire en pleine forme - n°7087

Nancy Samalin
Savoir l'entendre, savoir l'aimer - n° 7062
Conflits parents-enfants - n° 7198

Dr Marie Thirion
Les compétences du nouveau-né - n° 7123

Chantal de Truchis-Leneveu
L'éveil de votre enfant - n° 7146

Marie-France Vigor
Enfants : comment répondre à leurs questions ! - n° 7011

Cuisine

Paul Bocuse
Bocuse dans votre cuisine - n° 7145

Jean-Pierre Coffe
Comme à la maison (1) - n° 7148
Le marché - n° 7154
Au bonheur des fruits - n° 7163
Comme à la maison (2) - n° 7177

Christine Ferber
Mes confitures - n° 7162
Mes tartes sucrées et salées - n° 7186
Mes aigres-doux, terrines et pâtés - n° 7237

Nadira Hefied
130 recettes traditionnelles du Maghreb - n° 7174

Peta Mathias
Fêtes gourmandes - n° 720

Christian Parra
Mon cochon de la tête aux pieds - n° 7238

Marie Rouanet
Petit traité romanesque de cuisine - n° 7159

Denise Verhoye
Les recettes de Mamie - n° 7209

Loisirs

Sonia Dubois & Marielle Couësmes
La couture - n° 7144

Harmonies

Karen Christensen
La maison écologique - n° 7152

Karen Kingston
L'harmonie de la maison par le Feng Shui - n° 7158

Marjorie Harris
Un jardin pour l'âme - n° 7149

Jane Thurnell-Read
Les harmonies magnétiques - n° 7228

Jean Vernette
Les nouvelles thérapies - n° 7220

Richard Webster
Le Feng Shui au quotidien - n° 7254

Christine Wildwood
L'aromathérapie - n° 7192

Paul Wilson
Le principe du calme - n° 7249
Le grand livre du calme – La méthode - n° 7249

Nature

John Fisher
Comprendre et soigner son chien - n° 7160

Daniel Gélin
Le jardin facile - n° 7143

Louis Giordano
Aux jardiniers débutants 500 conseils et astuces - n° 7215

Jean-Marie Pelt
Des fruits - n° 7169
Des légumes - n° 7217

Roger Tabor
Comprendre son chat - n° 7153

Bien-être

7260

Composition Nord Compo
Achevé d'imprimer en Europe (France)
par Maury-Eurolivres – 45300 Manchecourt
le 4 octobre 2002.
Dépôt légal octobre 2002. ISBN 2-290-32164-8

Éditions J'ai lu
84, rue de Grenelle, 75007 Paris
Diffusion France et étranger : Flammarion